WAAROM DIE ONRUST IN MIJ?

Julia Burgers-Drost

WAAROM DIE ONRUST IN MIJ?

UITGEVERSMAATSCHAPPIJ J. H. KOK – KAMPEN

Omslagontwerp Herry Behrens
ISBN 90 242 1662 1

HOOFDSTUK 1

Dringende mensen, druk pratende reizigers. Huilende kindertjes en vroege vakantiegangers, die moeite hebben met hun zware bagage.

Het schrille fluitje dat het vertrek van een trein aankondigt snerpt boven het geroezemoes uit.

Diewertje Kaptyne klemt haar lippen stijf opéén. Wat een drukte, straks mist ze de bus nog. „Sorry . . . mag ik even?" Haar zachte stem wordt door de medereizigers nauwelijks gehoord. Voor háár wijkt de massa niet uitéén. Trouwens, dat is ze óók niet gewend.

De zware koffer verhuist van de éne hand naar de andere en de schoudertas glijdt bijna op de grond.

Ze ziet aan de overkant van het Stationsplein de bussen naar de verschillende bestemmingen klaar staan. Vlak voor haar neus klappen de spoorbomen dicht om een sneltrein vrij baan te geven.

Teleurgesteld remt Diewertje haar vaart af. Ze knippert met de ogen die moeite hebben met het snelle monster dat er langs dendert.

Tussen anderen gedromd stapt ze eindelijk de rails over. Taxi's en stilstaande mensen vormen de laatste hindernis, dan kan ze het op een lopen zetten.

„Te laat . . ."

De woorden ontsnappen haar onwillekeurig. De bus verdwijnt met een lompe zwaai om de hoek van het plein.

Diewertje kijkt besluiteloos naar haar koffer. Zou ze nu heus een uur moeten wachten? Wat zonde van de tijd! Misschien is er ondertussen wel een verandering gekomen in de dienstregeling. In drie kwart jaar kan er heel wat gebeuren in een leven, dus zeker in bustijden. Ze tuurt, op haar tenen staand, naar de kleine lettertjes van de dienstregeling, die op de halte bevestigd is. Ze merkt niet eens dat haar knokkels wit zijn van het knijpen in het handvat van de koffer.

„Als dàt Diewertje Kaptyne niet is!"

Als gestoken springt Diewertje om. Met gefronst gezicht staart ze de jonge, blonde vrouw aan, die achter haar staat te lachen. Diewertjes blik glijdt van de degelijke schoenen, het witte schort dat onder een kort jasje uitsteekt, naar het lachend gezicht, waaromheen het geblondeerde haar uitdagend krult.

Ze wil al een verontschuldiging uiten, maar dan begint er ergens een belletje te rinkelen.

„Dalenk ... mevrouw Boele, de directrice ... de jaarfeesten ... ach, ken je me niet meer?"

Diewertjes gedachten razen als de sneltrein van zoëven door haar verleden.

Iemand uit het kindertehuis waar ze is opgegroeid, Dalenk.

„Diewertje Kaptyne, jij behoorde bij de kleintjes, de 'mussen' zeiden we altijd. En ik zat in de groep boven jou!"

Dan straalt de herkenning uit het stille gezichtje van Diewertje. Dit kan alleen maar Nora zijn, het symbool van het ideale meisje, dat door pleegouders werd weggehaald en zodoende door velen benijd werd.

„Nora eh ... Smit?" Ze zegt het toch nog aarzelend. Nora was niet zo licht van haar, maar dat zegt natuurlijk niet alles. De kappers zijn knap tegenwoordig.

Nora schudt Diewertje de hand, één en al lach. „Ik heb gehoord dat jij in Duitsland werkte, in Lübeck, niet? Ik ben goed ingelicht. Heb je vakantie of hebben ze je daar de bons gegeven?"

Geen van beide. Diewertje vertelt dat het maar een tijdelijke baan was. Nu gaat ze naar huis.

„Naar huis?" Nora doet niet haar best de nieuwsgierigheid uit haar stem te weren. Het woord huis is voor hèn altijd nog een beladen woord. Een huis is niet altijd een tèhuis.

Nora pakt de koffer die zo te zien veel te zwaar is voor Diewertje en haakt vriendschappelijk in, trekt het oude kennisje mee.

„Kom meid, dan gaan we een kopje koffie drinken in de wachtkamer. De volgende bus komt pas over een goed uur."

Diewertje laat zich graag meetrekken. Nora Smit ... hoe zou het haar vergaan zijn?

Even later zitten ze op een terrasje achter glas, met een kop koffie voor zich. „Net zomer, als je niet naar die kale bomen kijkt!" vindt Nora optimistisch. Wéér een flits van herkennen, die nonchalante levenshouding van het oudere meisje, wat waren ze dáár jaloers op. Wanhopig trachtten ze haar op allerlei gebied te imiteren, wat bij de meesten zielig aandeed.

„Aprilletje zoet, brengt nog vaak een witte hoed", zegt Diewertje filosofisch.

Nora rommelt in haar tas. „Roken?" Ze houdt Diewertje een gouden koker voor, maar deze bedankt.

Nora wappert met goedverzorgde vingers de rook weg tussen haar en het teruggevonden meisje uit haar kinderjaren. Diewertje is niets veranderd, vindt ze. Nog dezelfde bleke mus van vroeger, die met een eenheidssopje overgoten scheen. „De mussen", zo noemden zij en haar leeftijdgenoten de kleintjes, plagend.

„Vertel eens meid, hoe het je vergaan is! Wat énig om jou weer te zien!"

Diewertje drinkt genietend van de hete koffie. Haar benen trillen nog van het harde lopen en ze zucht tussen twee slokken door. Vertellen, ach, over haar valt niet veel te vertellen.

Nora helpt haar op weg. Straks zei Diewertje iets van huis, ik ga naar huis. Toch niet naar mevrouw Boele, naar Dalenk?

Diewertjes gezicht begint te stralen. Wis en zeker niet! Hoewel, mevrouw Boele ziet ze regelmatig.

Ze werkt op „De Bruune Hoeve", één van de boerderijen die tussen het dorp en de bossen in staan. Eerst was ze daar een soort huishoudster, later veranderde de verhouding tussen haar en de boerin in een vriendschappelijke relatie.

„Ken je Margje niet, Margje van De Bruune Hoeve?", vraagt Diewertje.

Nora rimpelt haar grappig neusje, waarvan ze zelf zuchtend heeft verklaard dat ze die graag anders zou hebben, het regent in als het slecht weer is. Margje, die kent ze niet, maar „De Bruune Hoeve" weet ze wel.

Is dat het „thuis" voor Diewertje? Ze weert met moeite het medelijden uit haar gezicht.

Maar Diewertje babbelt verder. Ze heeft een verbouwde

varkensschuur als huisje. O, ze verlangt er nu echt naar terug, maar die vervelende bus!

Nu is Nora's belangstelling gewekt. Een eigen huisje op het erf van een boerderij. Ze weet best dat veel bedrijven een huisje verhuren aan zomergasten. Een permanent verblijfje, daar kom je niet zo gemakkelijk aan.

„Bofferd!" lacht ze zonnig. „Maar wat voor werk doe je daar dan?"

Diewertje somt op, wat alzo tot haar dagtaak behoorde voor ze vertrok. „Margje is onderhand getrouwd, ik ben óver geweest voor de bruiloft! Ik weet niet of alles nu net zo toe zal gaan als vóór die tijd, maar nu is ze in verwachting en daarom ga ik terug. Ik doe bijna het hele huiswerk alleen. Déèd, verbetert ze zich zelf.

De opsomming gaat verder, het huishouden, de boodschappen, de kippen. „Ja, het werk op een boerderij is niet te vergelijken met een gewoon huishoudinkje!"

Nora wenkt een serveerstertje, dat zich naar hun tafeltje toerept. En Diewertje vraagt zich af wat sommige mensen toch voor uitstraling hebben, dat Jan en alleman ze als marionetten schijnen te bedienen. Zíj zou het niet voor elkaar krijgen om de aandacht van een serveerster te trekken.

„Koffie, Diewertje, en een saucijzebroodje misschien?"

Nee, zíj, Nora betaalt wel. Zíj trakteert, en wel ter ere van het weerzien. Tijd hebben ze nog genoeg, nietwaar?

„Laat maar zitten", een snelle glimlach naar het dienstertje, dan is haar aandacht weer volledig op Diewertje geconcentreerd.

„Dus je hebt een eigen huisje, wat ben ik daar jaloers op, meid! Geen gezanik met hospita's. Eigen baas. Zo ver ben ík nog niet eens!"

Bescheiden knikt Diewertje. Ze kan niet anders dan beamen dat ze geluk heeft gehad. Maar haar liefste droom is nog niet in vervulling gegaan en Nora is geen type die begrip voor haar diepere gevoelens zal hebben. Dat weet ze met zekerheid.

Nora haalt fel uit tegen de man in het algemeen. De slaafse houding van sommige vrouwen doet middeleeuws aan, vindt ze. Huisvrouw en moedertje spelen, het mocht wat.

Naïef vraagt Diewertje of Nora niet aan een huwelijk denkt, in de toekomst?

Nora roert haar koffie zo hartgrondig, dat het vocht over het geruite tafelkleedje spettert. Een huwelijk . . . doet Diewertje nu zo kinderlijk of heeft ze zelf geen leergeld betaald? Wat hebben zij in het huis vroeger allemaal te horen gekregen. Kapotte gezinnen. Drankmisbruik en allerhande soorten van misdaad, een decor van gruwel. Dat was de achtergrond van de mensen van hen, nietwaar? Een huwelijk . . .

Diewertje droomt weg, naar het gezinnetje in Lübeck waar ze een tijd is geweest als hulp in de huishouding, kindermeisje, gezelschapsdame en ten slotte: een zeer gewaardeerde huisgenote.

Dan is ze er weer bij, hoort ze Nora babbelen. „. . .een eigen huis, dat wil ik ook. En misschien wel een vriend, Diewertje. Een levensgezel. Ik ben niet van steen, meid! Maar trouwen? Ik zal je eens wat vertellen over mijn pleegouders . . . waar jij zo jaloers op was. Alles was schijn."

Diewertje vergeet het warme saucijzebroodje, zo gaat ze op in dat wat Nora vertelt. En juist op háár is ze zo jaloers geweest als kind! Want toen er een vriendelijk ouderpaar kwam, dat zo dolgraag een dochter wilde, was het de vlotte Nora die uiteindelijk mee ging naar de stad in het westen van het land. Het mocht een wonder heten dat er niet om een baby, maar een groot meisje werd verzocht! Het gebeurde maar zelden dat er één van hen voorgoed vertrok en in hetzelfde pleeggezin bleef. Nora werd opgevoed als een dochter des huizes, leerde gemakkelijk en koos later voor een verpleegstersopleiding. Ieder jaar ging ze één keer op bezoek op „Dalenk". De reünie zou ze niet licht overslaan, dat weet Diewertje zich wel te herinneren.

Met de ogen donker van verontwaardiging, of is het verdriet? buigt ze zich naar Diewertje over, als ze vervolgt: „Toen werd mijn pleegmamaatje ongeneeslijk ziek, dat was zo erg meid! Ik ging er kapot aan, maar kwam thuis om haar te verplegen. Je kunt het geloven of niet, maar mijn pleegvader kon het niet aan . . . zocht, nota bene tijdens haar léven nog, een ander! Enkele maanden na haar dood trouwde hij met haar! Ik kon het toen daar niet meer uithouden, dat snap je. Ik wist niet zo gauw waar heen ik zou gaan! Ik had wel wat sollicitaties lopen, maar ach. Ik besloot naar onze trouwe mevrouw Boele te gaan, naar ,,Dalenk"! Zij ontving me met open armen en ik hèb me daar gebruld! Alles moest er uit. Ze heeft me getroost als een kind en toen ik weer op verhaal kwam, had ze al werk óók. In het dorp nog wel. Ze vroegen verpleegsters in de ,,Zonneheuvel". Daar zijn ongeneeslijke zieken, die soms nog jaren te leven hebben. Dat weet je wel hè? Nou, met een aanbeveling van Boele was dat gauw voor elkaar. Ik kreeg een kamer in het zusterhuis, maar daar was ik snel weg! Ik woon nu in het dorp, maar dat staat me ook niet aan. In elk geval is het werk me op het lijf gebonden, Diewertje! Sommigen hebben zo'n moeite met het niet-meer-thuis-wonen, het ongeneeslijk ziek zijn. Eenzaamheid. En al die dingen heb ik van nabij meegemaakt, dus het klikt enorm tussen de patiënten en mij! Reken maar dat de andere meiden daar knap nijdig om zijn, als er naar zuster Noor gevraagd wordt!"

Diewertje zucht ervan. Wat een ervaringen heeft Nora gehad. ,,Maar in ieder geval heb je toch een paar goede jaren bij je pleegmoeder mogen hebben!"

En dat vindt Diewertje toch al heel wat. Maar Nora schampert ze weg. Toen het er op aan kwam, bleek dat huwelijk tussen de pleegouders toch geen vaste bodem te hebben. ,,Tot de dood ons scheidt, dat zeggen ze zo mooi in de kerk!"

Diewertje kijkt ongerust naar de felle ogen van Nora, die opeens al het jeugdige verloren hebben. Ze komt tot de conclusie dat je dan nog maar beter kunt menen wat gemist te hebben, dan negatieve ervaringen als herinnering.

Nora schakelt om en haar aanstekelijke lach doet enkele mensen omzien naar hen beiden. Ze slaat haar lange benen over elkaar en steekt nog een sigaret op.

,,Kijk niet zo somber, Diewertje, laten we eens wat herinneringen ophalen! Weet je nog die fantastische Sinterklaasfeesten, en met Kerst allemaal naar de nachtdienst? Daarna hete chocolademelk en Kerstkrans. Meid, zoals toen smaakt het me nu nooit meer, wil je dat wel geloven! En wat waren we verkikkerd op de zoon van mevrouw Boele, Meinte, als die thuis kwam was het spannend! Ik heb hem nooit meer ontmoet, jij?"

Nu bloost Diewertje als een pioenroos. Maar dat verbergt ze handig door in haar tas te duiken. Zeker, Meinte studeert voor veearts, hij heeft op „De Bruune Hoeve" zelfs een tijd meegewerkt toen er hulp nodig was. Hij is beste maatjes met de veearts in het dorp, Hijma. Diewertje weet héél wat af van het boerenleven zo langzamerhand. Ze heeft in andere kringen verkeerd dan Nora.

Nora mijmert verder. Het zomerfeest, weet Diewertje nog hoe leuk dat was?

Dan hielden ze open huis voor de kinderen uit het dorp.

„Diewertje, dàt was geluk, weet je dat? Bèste herinneringen!"

Ja, aan Diewertjes geheugen mankeert niet veel, ze weet het allemaal nog goed.

Maar aan sommige herinneringen zit toch een scherp kantje. Wat deed het haar zéér om uitgemaakt te worden voor „mus". Het symbool voor onopvallende grauwe meisjes. Zij, en nog een paar verlegen kinderen die nooit op de voorgrond durfden treden. Zich veilig voelden in de schaduw van de anderen met de grote monden.

De mussen, wie het bedacht had wist later niemand meer. Nu, naast de uitdagende Nora komt dat mussengevoel opeens weer terug.

„De bus, Diewertje, kom meid!"

Diewertje grabbelt haar spullen bij elkaar en sjokt achter Nora aan het terrasje af. De voorjaarswind is guur, wat papiersnippers waaien hoog op en belanden tegen een muurtje waar het straatvuil niet verder kan.

Nora helpt de koffer dragen en ze informeert of Diewertje niet méér bagage naar Lübeck had. „Dat wordt nagestuurd door Remco, mijn eh . . . werkgever! Maar dit moest mee, souvenirs, weet je. Bedankt Noor . . ."

De koffer staat nu voor haar in het gangpad en Nora overhandigt de chauffeur de strippenkaart, beduidt óók voor Diewertje af te stempelen.

„Ik zal je terug betalen!" komt Diewertje, als ze naast Nora op een bank ploft.

Nora lacht haar uit. „Ik kom binnenkort uitgebreid koffie

bij je drinken, meid! Reken maar. We hebben zoveel gemeenschappelijks in onze herinneringen! Dat geeft een zusterlijke band!"

Dan komen er verhalen over anderen uit het kindertehuis. Hele levensgeschiedenissen flitsen als een film aan beiden voorbij.

Diewertje merkt dat Nora de aandacht trekt van andere buspassagiers. Bij elke halte komen er mensen binnen en niemand verzuimt het om een paar ogenblikken te kijken naar de jonge vrouw, die dit niet schijnt op te merken.

Diewertje neemt het voorbijsnellende landschap in zich op. Wat houdt ze toch van deze omgeving. Bossen en heuvels, afgewisseld met weiland. Er is nog niet veel groen te bespeuren. Maar in de tuinen van de huizen bloeit de forsythia en de ribes volop.

„Diewertje, ik moet er hier uit. Kijk, als ik door het Achterpad loop, snijd ik een stuk van de weg af en ben in een ommezientje in het huis. Reken er op dat ik binnen een week bij je op de stoep sta!"

Ze woelt even door het haar van Diewertje, dat een onbestemde kleur heeft. Een mussenkleur, vindt Diewertje zelf. Ergens is daar dat gevoel van trots, zoals vroeger: één van de grote meisjes heeft aandacht aan haar besteed!

Ze buigt zich even later ver opzij om Nora te kunnen nazwaaien en weer is zij de enige niet die dezelfde kant op kijkt. Zelf moet Diewertje nog een paar haltes verder. En dan nog een flink stuk lopen, met de koffer.

Enfin, dat is haar eigen schuld. Ze wilde toch zo graag de familie verrassen?

Margje of haar man, Christiaan, zouden haar zo opgehaald hebben, weet ze met vertrouwen. Hè, ze verlangt er naar hen terug te zien. Hoewel het afscheid in Lübeck met traantjes gepaard ging. De baby, die haar al begon te herkennen en dan de kleuter, Saskia. Die heeft een plaatsje in haar hart dat door niemand verdrongen kan worden.

Maar toen ze hoorde dat Margje moeder gaat worden, wist ze met zekerheid waar haar plaats was. Margje heeft haar nodig, dat voelt ze gewoon!

Met een spits vingertje drukt ze op het knopje, ondertussen het lampje bij de chauffeur in de gaten houdend. Ja, het brandt.

Ze zeult haar koffer het pad af en probeert tevergeefs de schoudertas op de plaats te houden.

Een behulpzame man zet de koffer voor haar buiten en een schooljongen roept met schorre stem: „Koffer, waar ga je met dat juffie naar toe?"

Diewertje haalt buiten verlicht adem. Thuis! De geuren van het platteland ademt ze in als was het odeur.

Jammer van die koffer. Ze is haast in staat hem ergens in het struikgewas te verstoppen.

Moedig echter, gaat ze op pad. Daar, het kerktorentje, omgeven door hoge, kale bomen. Kastanjes, weet ze.

Een trekker dendert voorbij en een sliert fietsende schoolkinderen maakt een bocht langs haar heen. Ze loopt aan de verkeerde kant, ontdekt Diewertje en even houdt ze stil. Zo, nu maar oversteken, dat is wel zo veilig. Om de flauwe bocht komt nog een auto en hoopvol steekt Diewertje haar hand op. Liften heeft ze nooit gedaan, maar hier in het dorp kan het geen kwaad, vindt ze.

De chauffeur heeft haar echter herkend en de wagen stopt vlak bij haar.

Een jonge boer springt er uit, drukt zijn geruite pet dieper op het voorhoofd en een verlegen stem zegt: „Nee, maar als dat Diewertje van 'De Bruune Hoeve' niet is! Wil je soms mee rijden?"

Diewertje is nooit zo gesteld geweest op buurman Hendrik Baank, maar nu schijnt het haar alsof hij haar toegezonden wordt.

Hartelijk drukt ze de ruwe hand. Hij tilt de koffer op alsof het een portemonnaie is en deponeert hem op de achterbank, naast een paar koeientouwen en een zak kippenvoer. De auto ruikt naar mest en is verre van schoon. Na de eerste begroeting valt Hendrik terug in zijn verlegenheid, die hem de bijnaam „brave" Hendrik heeft bezorgd.

Dan herinnert Diewertje zich opeens dat Margje geschreven heeft, niet lang geleden, over de ziekte en het sterven van vader Baank. Hoe kon ze dat nu vergeten?

„Eh . . . Hendrik, het spijt me zo van je vader! Wat een moeilijke tijd zal dat voor jullie zijn geweest!”

Ze bedenkt dat ze best een condoleantiebriefje had kunnen schrijven. Hendrik knikt haar triest toe. Vertelt in eenvoudige bewoordingen dat het met zijn moe niet best gaat. Zijn schoonzuster noemt haar lastig. Nou ja, gemakkelijk is ze nooit geweest, dat weet iedereen. Maar nu zit ze zwaar in de put. De dokter spreekt van een ernstige depressie. Ze maakt met Jan en alleman ruzie, zelfs met haar oudste zoon, die nu de eigenaar is van het bedrijf. Diewertje leeft helemaal mee met wat Hendrik vertelt.

Er is wat te koop in de wereld, overdenkt ze triest. Eigenlijk zou je voor iedere normale dag veel dankbaarder moeten zijn.

Buurvrouw Baank, ze griezelt als ze aan de mollige vrouw met de stekende varkensoogjes denkt. Arme Hendrik, heeft niet veel geluk gekend. Een blauwtje gelopen bij Margje, een moeilijke moeder en knecht op vaders hoeve.

Ze is opgelucht als ze hun doel bereikt hebben.

De heggen groenen hier en daar al en in de voortuin staan bossen narcissen te wiebelen in de lentewind.

„De Bruune Hoeve”, als in een zucht ontsnapt het haar. In sierlijke smeedijzeren letters staat de naam op de voorgevel. De donkerbruine luiken zijn als een lijst voor de schone glanzende ramen, waarachter geraniums in allerlei kleuren staan te pronken.

Dit is thuiskomen en Hendrik Baank kijkt vertederd naar het opgewonden gezichtje naast hem. En hij denkt nu hetzelfde wat Diewertje nèt nog over hem dacht: die heeft óók nog niet veel geluk gekend in haar leventje . . .

HOOFDSTUK 2

Daar staat ze nu, Diewertje Kaptyne, op de stoep van „De Bruune Hoeve”.

Het „Diewertje, jij!” van boer Volgers maakt dat ze zich welkom weet.

Christiaan duwt het huisgenootje naar binnen. Ze speurt naar eventuele veranderingen, maar het is nog net als voorheen.

In de ruime woonkeuken is het warm en gezellig. Er prijkt een grote bos narcissen op de tafel, Margjes rieten stoeltje staat als vanouds naast de ouderwetse schouw en op het moderne fornuis glimmen de pannen.

Aan de wand hangen pannen, koperen juweeltjes, die nog van de éérste bewoners van „De Bruune Hoeve" zijn geweest. Reintje gaat midden op de cocosmat zitten, zijn kopje scheef, de bruine oogjes vol verwachting op Diewertje gericht.

Christiaan grinnikt. Hij duwt Diewertje in een stoel. „Margje slaapt nog, ze doet in eh . . . verband met haar toestand, iedere middag een dutje! Op bevel van de huisarts, weet je. Ja, Margje moet beslist een bevèl krijgen, wil ze iets voor zichzelf doen!"

Ze lachen beiden, in begrijpen en liefde voor dezelfde persoon.

Christiaan hannest met de waterketel en dat kan Diewertje niet aan zien.

Vlug springt ze op. Zíj zal wel even . . . Christiaan laat één en ander graag aan haar over.

Het is weer als vanouds, de rappe handen vinden als vanzelf de ingrediënten die nodig zijn voor het theedrink-ritueel.

Biskwie zit in de ouderwetse trommel, van Margjes moeder, Anne Wickes. Een trommel met een jachttafereel, dat Diewertje wel kan dromen. Evenals de theemokken en de zilveren lepeltjes met de bloemenafbeeldingen.

Net als de thee opgeschonken is, horen ze Margje aankomen. Reintje rent haar tegemoet, Margje hoort aan zijn blafje dat er wat aan de hand is en nieuwsgierig kijkt ze om het hoekje van de deur.

Wat doet het Diewertje goed, die blijken van vreugde om het weerzien!

Margje slaat haar armen om haar hulp heen. „Diewertje, Diewertje toch . . . zo onverwachts teruggekomen! Ik had je de eerste weken nog niet verwacht! Wat fijn dat je er bent!"

In één oogopslag ziet Diewertje dat Margje er slecht uit ziet.

Van de stralende bruid is niet veel meer over. Verder is nog aan niets te zien dat ze moeder zal worden.

Wederzijds vliegen de vragen en antwoorden over en weer. Margje duwt met weerzin de thee van zich af, ze heeft praktisch geen eetlust, vertelt ze lachend. Goed voor de lijn.

Diewertje komt met het verhaal over Nora Smit, ze hebben koffie gedronken en een hapje gehad, nee néé, ze hoeft nu echt nog niets te hebben, straks aan tafel eet ze wel weer. Of: „Heb je nu het hier anders is, jullie zijn nu getrouwd en zo . . . heb je liever dat ik niet met jullie méé eet?"

„Diewertje toch! Ik dacht dat je die malle bescheidenheid nu wel afgeleerd zou hebben!" Margje zegt het bestraffend en ook Christiaan doet een duit in het zakje.

Maar dat ene, dat zinnetje van Nora is in haar hart blijven steken als een angeltje: jij hoorde bij de mussen . . .

Christiaan heeft werk te doen en kwiek stapt hij de deur uit, na een liefkozing in de hals van zijn vrouw.

Diewertje wil nu het gesprek een zakelijke wending geven. Wat wordt er van haar verwacht? Heeft Margje al die tijd alleen het huishouden gedaan?

Margje schiet in de lach, bij deze voorzichtig gestelde vraag. Ze heeft wat afgeklungeld in het begin. Zij is altijd meer boerin geweest dan huisvrouw!

„Moeder Anne heeft me op weg geholpen, wat heb ik je gemist, Diewertje! Maar nu kan ik tenminste koken en zo . . . de bloemen blijven leven en ach, het stof zíe ik ook! En ik was geen gele stofdoeken meer mee met de witte was!"

Diewertje griezelt als ze aan zo'n wasresultaat denkt.

„Kom mee naar de kamer, Diewertje, en vertel me eens over je belevenissen in Lübeck!", verzoekt de boerin.

Diewertje doet niets liever, ze is nog zo vol van haar verblijf in Duitsland. „Ik zal Saskia best missen . . . Diewe Diewe! riep ze elke ochtend. Ze was zo vroeg wakker!"

Margje knikt begrijpend: „En dan vloog jij zeker voor dat kleine ding! Ik ken je zo langzamerhand . . . Maar hoe was haar moeder, ik meen Barbara, onder het verlies van dat éne kindje?"

Nu wordt Diewertje voorzichtig. Per slot van rekening is Margje zwanger en ze mag zich geen malle ideeën in het hoofd halen.

,,Tja . . . ze wisten al een tijdje dat er iets niet in orde was. Het ene kindje bleek meteen na de geboorte prima te zijn, maar dat andere was niet levensvatbaar. Als je bedenkt dat het gezonde kindje ruimtegebrek heeft gehad door eh . . . het gestorven baby'tje, wel dan mogen ze dankbaar zijn dat het nog zó gelopen is." Diewertje denkt terug aan het wanhopige geroep van Barbara, haar niet te stuiten tranenvloed. Dagen heeft het geduurd voor ze werkelijk inzag veel reden tot dankbaarheid te hebben met de gezonde zoon.

Handig koerst ze het gesprek naar Saskia, die naar een peuterschool ging, dat was maar goed ook, want het werd tijd dat het kind zich los maakte van Diewertje. Blozend besluit Diewertje: ,,Gek hè, maar ze hechtte zich zó aan mij."

Maar Margje vindt dat niet zo verwonderlijk, de naar liefde hunkerende Diewertje weet uitstekend wat géven is.

Diewertje gaat even naar haar huisje om een paar pakjes uit de koffer te halen.

Margje is aangenaam verrast en oprecht blij met het handgebreide vest, dat geheel volgens een folklore-patroon is gemaakt. Daar zal ze plezier van hebben. Christiaan krijgt een wollen sjaal van dezelfde wol.

,,Voor je moeder heb ik een paar lepeltjes van kerken, die spaart ze toch?" weet Diewertje zich te herinneren.

Margje legt haar benen op een andere stoel en knikt. Fijn dat haar trouwe hulp terug is. Ze is wat voller in het gezicht geworden, het kinderlijke is er af, ziet ze. Ook de manier van bewegen, haar spraak is anders. Ja, het is goed dat Diewertje haar neus buiten het dorp heeft gestoken.

,,Ik mag van die vervelende dokter geen zware dingen tillen!", moppert Margje. En dat in het begin! Ze moet nog ruim zeven maanden. Maar er is wat bloedverlies geweest en dokter Huisman riskeert niets.

,,Groot gelijk!", vindt Diewertje. ,,Er staat per slot van rekening een mensenleven op het spel!"

Nu is dan eindelijk de taakverdeling aan de orde. Ze beslissen dat die maar niet vast moet liggen, voorlopig. Het zware werk zoals dweilen en schrobben is voor Diewertje, maar Margje heeft best met de stofdoek leren omgaan.

„Ga je nog naar het zangkoor, Marg?" vraagt Diewertje opeens. Margje schudt haar hoofd. Die eerste weken van haar zwangerschap zou ze niet graag over doen. Anderen schijnen er niets van te merken, maar zíj was zo onpasselijk als maar mogelijk is. Ze kon praktisch de deur niet uit.

Nu zou het wel weer gaan, eigenlijk wel een aardige afleiding samen met Diewertje, net als vroeger.

„Weet je nog, die Hendrik!" Margje grinnikt als ze terug denkt aan de hardnekkige pogingen van de jonge buurman om haar tot vrouw te krijgen.

Hoewel het meer buurvrouw Baank was, die er achter zat, moet ze toegeven. „Die brave Hendrik heeft míj anders maar een mooie lift gegeven!", komt Diewertje en Margje voorspelt haar een toekomst aan de zijde van Hendrik.

„Als je nog eens wat weet!", zegt Diewertje spottend. Voor haar is er maar één die ze levenslang naast zich zou willen hebben. In Lübeck, bij de familie Passchier was het een komen en gaan van jonge mensen, maar het vrolijke gezicht en het stevige postuur van Meinte Boele schoof bijna tastbaar voor ieder ander.

Maar die gedachten houdt ze voor zich, zelfs de boerin hoeft dáár niets van te weten.

Huize „Dalenk" is een solide gebouw uit het begin van deze eeuw. De noodzakelijke vernieuwingen hebben het statige uiterlijk niet geschaad. Het omliggende park is volledig ingericht voor de kinderen die er hun tehuis gevonden hebben.

Er is een zwembad en een speelhoek met ongevaarlijk klimmateriaal.

Janna Boele is al meer dan vijftien jaar werkzaam op het huis.

In het begin als inwonend psychologe. Ze kreeg op de benedenverdieping twee kamers toegewezen voor haar zoontje en haarzelf. Voor het eerst sinds haar scheiding kreeg de toekomst weer perspectief. De kleine Meinte groeide op als één van de vele jongetjes van „Dalenk". Toen hij tien jaar was overleed de directeur en verzocht het dagelijks bestuur mevrouw Boele zijn functie over te nemen. Na die tijd is er veel veranderd in het huis.

Janna's inzet voor het niet-gewenste of misdeelde kind is in de hele omgeving bekend. Het gebeurt ook vaak dat ze de jongelui, waartoe Diewertje indertijd óók behoorde, in het zadel helpt. Zo is Margje van „De Bruune Hoeve" aan haar hulp gekomen.

Wel had Janna af en toe enorme behoefte aan privacy en daarom heeft ze de portierswoning in gereedheid laten brengen voor haar en Meinte. Sinds enkele jaren woont ze nu alleen in haar kleine home, daar de zoon als hartewens had dierenarts te mogen worden. Het is feest als hij met de vakanties thuis is. Glimlachend ziet Janna toe hoe de vrouwelijke bewoonsters van het huis dingen naar zijn gunsten.

Maar de laatste vakanties heeft hij tot hun verdriet doorgebracht op „De Bruune Hoeve", deels om wat praktijk op te doen, anderzijds als vervanger van een zieke knecht. Tegen iedereen is hij altijd even correct en vriendelijk, ook Diewertje krijgt steeds een opgewekt plagerijtje te verdragen. Maar hij, de aanstaande veearts, is blind voor de hunkerende liefde die dit meisje in haar hart hem toe draagt.

Diewertje verhaast ongemerkt haar stap als het huis voor haar opdoemt tussen de nog kale struiken en bomen. Hier en daar is een wazig groen te bespeuren en óók de larixengroep laat voorzichtig een teer pluisje zien.

De stemmen van spelende kinderen zijn op afstand al te horen. Genietend kijkt Diewertje naar de bloeiende bollen en ze wuift naar de gebogen tuinman die zo lang ze zich herinneren kan al werkzaam is op „Dalenk".

Ze wipt de trappen van het bordes op en duwt de altijd op een kier staande deur verder open.

Toch aarzelt ze even als ze op de ruwe cocosmat staat. Zal mevrouw Boele niet druk bezet zijn, had ze niet beter even kunnen bellen?

Er gaat een deur open en de huispsycholoog, een nog jonge man met slordig haar stevent haar voorbij. Blijft dan abrupt staan, herkent haar.

De stapel mappen onder zijn arm verhuist naar de grond en spontaan legt hij beide handen op haar schouders, twee zoenen en een gemeend: „Nee maar, ze is er weer! Dat zal mevrouw Boele leuk vinden! Je ziet er patent uit!"

Verlegen blikt Diewertje Thomas, menéér Thomas, zoals ze altijd zeiden, aan.

Hij brengt haar druk pratend naar de serre, waar hij Janna weet. De éne arm om Diewertje en onder de andere zijn papieren.

Janna springt verheugd op. Ze is als een moeder zo blij als ze één van haar pupillen weer in het huis terug ziet. Speciaal Diewertje, die schijnt wel een warm plaatsje in haar hart te hebben.

Er zijn wat meisjes aan het handwerken en Janna is ze behulpzaam. Ze laten Diewertje zien wat ze voor school moeten maken: een lange slang die uit vele lapjes samengesteld wordt. Ze haken en breien vlijtig met fel gekleurde wol. Janna knipoogt tegen Diewertje. Ze laten nog al eens een steekje vallen . . .

Diewertje krijgt een plaatsje voor het raam in de zon en een meisje gaat naar de keuken om de middagchocolade te halen, met beschuit. Diewertje geniet. Ze wil voor geen geld terug, weer voorgoed in het huis. Nu heeft ze de felbegeerde vrijheid, zelfstandigheid. Maar hier is de geborgenheid van haar kinderjaren.

Tot een intiem gesprek met Janna komt het vooreerst niet en Diewertje houdt haar cadeautje nog even in haar tas.

Maar op een gegeven moment, als één van de helpsters binnenkomt, neemt Janna haar bezoekster mee naar de portierswoning.

Nu moet Diewertje van alles en nog wat vertellen. Bij Janna vindt ze een liefdevol gehoor.

„Hoor je nog wel eens wat van je tante uit Australië?" vraagt Janna voor Diewertje wil vertrekken.

Deze haalt haar schouders op. Af en toe een kaart, met Nieuwjaar bijvoorbeeld. Het blijft prikken, die oude wrok. Waarom hebben ze haar toen ze wees werd, niet in huis opgenomen? Ach, ergens is het wel te begrijpen. Nicht Stien was net getrouwd en zal daar in dat verre land wel geen gelegenheid gehad hebben een baby op te nemen in haar huis.

Wel stuurde ze regelmatig pakjes met verjaardagen en de belofte als Diewertje achttien zou zijn, ze komen mocht, als ze dan nog wilde. Toch was het, op donkere dagen, iets om naar uit te kijken. Maar ontmoet heeft ze haar moeders nicht, die ze tante Stien noemt, nooit. Mevrouw Boele schijnt haar vroeger wel eens ontmoet te hebben, weet Diewertje. Maar veel vertelt ze er nooit over, ze schijnt haar in elk geval niet sympathiek te vinden. En nadat zij, Diewertje, bij Margje op „De Bruune Hoeve" het zo naar haar zin had, een eigen huisje kreeg, werd dat Australische plan vager en vager. Ze hoefde niet meer zo nodig.

„Het is er nu te laat voor", was haar eindconclusie.

Voor een recente foto van Meinte blijft Diewertje even staan en Janna's ogen worden zacht.

Ze vraagt zich af of de toekomst voor Diewertje nog méér venijnige pijlen op haar boog zal hebben. Meinte, een bovenste beste zoon, die vandaag of morgen met het één of ander studentje thuis zal komen. Arme Diewertje. Luchtig babbelt ze over haar zoon, die in de Paasvakantie „De Bruune Hoeve" wel weer onveilig zal komen maken. Trouwens: binnen niet al te lange tijd hoopt hij af te studeren. De plaatselijke dierenarts, Hijma, heeft voorgesteld samen zijn praktijk voort te zetten. Hij heeft het erg druk schijnt het. Hij gaat zich liever met Meinte associëren dan dat hij moet toezien hoe er vandaag of morgen een nieuwe arts zich in het dorp vestigt.

Janna bedankt Diewertje nog eens hartelijk voor de sjaal uit Duitsland.

„Doe je Margje de groeten, zeg maar dat ik gauw langs kom en het één en ander voor de baby mee breng. O ja, en van Meinte heb ik op de vliering het bedje en de box nog staan, zelfs een commode. Laat ze vooral die dure spullen niet kopen! Je hebt ze maar zo even nodig, wil je haar dat op het hart drukken?"

Opgewekt kuiert Diewertje terug. Thuis, ze is weer terug in het land. En voor haar ogen danst het lachende gezicht van Meinte Boele.

HOOFDSTUK 3

Een luid getoeter op de weg doet de zingende en ramen wassende Diewertje omzien en de stok met de spons zwaait doelloos door de lucht . . . Meinte!

Meinte in een nieuwe auto, de weerkaatsing van de zon op het chroomwerk doet zeer aan de ogen.

„Dat kun je geen gewone dingen meer noemen!" schiet het door Diewertje heen. Wat een mooie auto! Zie hem eens trots zijn, die Meinte. Vertederd volgt ze hem met een liefdevolle blik.

Hij stopt onder de pereboom die voor het huis staat. Lenig springt hij uit de wagen en begroet Diewertje op zijn eigen manier.

„Hallo, Wiebertje, ben je weer terug, kind, daar doe je goed aan. Zonder jou is 'De Bruune Hoeve' niet half zo bruun!" Of ze zin in een ritje heeft?

Afwerend, uit pure verlegenheid, zegt ze gedecideerd dat ze hier in loondienst is en maar zo niet weg kan.

Meinte haalt zijn schouders op. Tja, als ze niet wil . . . Diewertje kleurt van akeligheid, zo gaat het nu altijd met haar. Nooit kan ze een vlot antwoord verzinnen, zoals Nora bijvoorbeeld. Ze pakt haar emmer weer op en loopt naar het terras, waar Reintje uitbundig Meinte begroet.

Christiaan en Margje komen de auto bewonderen en Margje beveelt hem haar even naar de supermarkt te brengen in het dorp. O ja, ze moet óók nog langs de naaister voor een paar nieuwe, pàssende japonnen!

Meinte grijnst en opent het portier. Christiaan knipoogt tegen Diewertje. „Wij zullen het werk wel doen, hè Diewertje?"

Als ze verder gaat met het ramenlappen is het of er een wolk voor de zon is geschoven. En het vrolijke liedje van daareven lijkt niet meer van toepassing.

„Een kruidentuintje" . . .

Margje zegt het peinzend. Dat heeft Diewertje mooi bedacht. Hoe komt ze op het idee?

Wel, eenvoudig, ze is aangestoken door de oma van de

kleine Saskia, die aan de grens in een buitenhuisje woont en van het kruidenkweken haar hobby heeft gemaakt. Diewertje heeft een boek gekocht over het kweken èn hoe de verschillende gewassen in de keuken of ter genezing voor de één of andere kwaal, gebruikt kunnen worden.

Christiaan meesmuilt dat Diewertje toch niet aan hekserij gaat doen.

Maar de boerin neemt haar serieus. Een mens moet toch een hobby hebben? Toen zíj, Margje, de leeftijd van Diewertje had, was „De Bruune Hoeve" haar enige hobby die haar oog verblindde voor al het andere wat het leven kon bieden.

Christiaan moet er zich maar buiten houden, vindt ze. Laat die maar naar Meinte gaan, die is de nieuwe kippenhokken in zijn eentje aan het bezichtigen.

„Kom mee, Diewert, dan gaan we gelijk een geschikt plekje uitzoeken. Wat dacht je van de voormalige hof? Die grond is best gelegen en behalve de aardbeien hebben we er niets meer staan!"

Samen lopen ze naar de hof, aan de andere kant van de oprit. De nestelende merels ritselen geheimzinnig in de brede heg. Aan de ene kant staan jonge vruchtbomen, die voor het eerst bloeien. Roze en witte bloesems, als ouderwetse poëzieplaatjes steken af tegen het blauw van de warme lucht.

„Alleen de caravan van de veearts", zucht Margje, „Zoals je ziet staat die er óók nog. Misschien wil Meinte er weer in trekken, anders moet hij hem maar ophalen, ik vind het een uitzicht-bedervend ding."

Er is nog ruimte te over voor een kruidentuin. Nu moet Diewertje vertellen wat ze zo al denkt te gaan kweken.

Diewertje geeft een opsomming waar Marg van staat te kijken. Tijm, het driekleurig viooltje ofte wel viola tricolor, rozemarijn, longkruid, equisetum arvense en dan ademloos: „Is er nog een stukje vlier blijven staan, indertijd? Soms loopt dat soort bomen aan de wortel wel weer uit. Want vlierbloemen en tijm, longkruid en nog wat andere soorten zijn namelijk zo'n goed middel tegen hoest, zie!"

Margje blijft zich verbazen. Heeft Diewertje heus echt studie gemaakt van kruiderij? Vlijtig knikt het meisje, dat nu in niets meer op een grauwe mus lijkt.

„Zelfs langs de kant van de weg groeit veel dat bruikbaar is, Marg. Brandnetels, witte meidoorn, duizendblad, hondsdraf!"

Ze wil nog verder gaan, maar Margje kan het zo al niet volgen, dus glimlachend zwijgt ze.

„Jij begint maar gauw met dat eh . . . kloostertuinengedoe!" zegt Margje hartelijk. „Ik zal vragen of Christiaan het paard van Baank wil lenen en het hier voor je omploegt. De trekker kan niet door de hegopening, zoals je nog wel weet. Of anders moet onze vriend Meinte dat karwei maar opknappen. Trouwens . . . als Hendrik hoort waarvoor we zijn paard willen lenen, komt hij het wel zelf doen voor jou!"

Diewertje bukt zich om een polletje onkruid nader te beschouwen. Voor haar heeft de naam ònkruid een verandering ondergaan en Hendrik Baank, wel, díe kan haar gestolen worden.

Het is Meinte die het kruidentuintje in orde maakt. Hoe of Diewertje aan de zaden denkt te komen, vraagt hij, heeft ze adressen waar ze wat kan bestellen?

Ja, dat heeft ze. Maar dat betekent wel een ritje naar de stad. „Trouwens: Meinte, ik hoorde onlangs dat in de diergeneeskunde óók wel eens kruiden worden toegepast!"

Meinte voorspelt haar binnenkort een grote klantenkring. Maar hij wil wel even met haar naar de stad, goed voor zijn wagentje, dat moet toch ingereden worden.

Diewertje holt naar binnen. Of het schikt dat ze even vrijaf neemt en heeft Margje nog wat nodig uit de stad?

Maar Margje kruipt die middag met een boek in bed. Ze beweert net als een zwangere poes te zijn, die doet óók niets anders dan slapen.

Meinte is klaar met het ploegen en kijkt tevreden naar de rechte voren.

„Wiebertje, kom hier!" beveelt hij en Diewertje komt. Maar als ze geweten had wat hij van plan was, had ze zich wel duizend keer bedacht.

Met een ondeugende jongenslach tilt hij haar van de grond en haar protesterend gegil schijnt hij niet te horen. Met een zwaai komt ze terecht op de brede en o zo hoge rug van Rietje, het oude paard van Baank.

Meinte pakt de leidsels beet en leidt het dier met zijn lichte last naar de ingang van de hof. Ondertussen vals fluitend de wijs van een Sinterklaasliedje: Hoor ik daar geen paardevoetjes, trippel trappel, o zo zoetjes!

Diewertje klemt zich vast waar ze maar kan en haar benen drukt ze stijf tegen de warme flanken. Haar rokje kruipt omhoog en onder haar vlaskleurige haar voelt ze duizend speldeprikken.

Rietje stapt braaf voort, af en toe schuddend met haar manen. Achterom, langs het weidepad komen ze op het terrein van buurman Baank junior. De broer van Hendrik rijdt net weg op de trekker en mist de voorstelling, maar Hendrik niet.

Onzeker kijkt hij van Meinte naar Diewertje en hij heeft medelijden met het angstige gezichtje. Zoiets zou hij nu niet durven, zo'n meisje, duidelijk tegen haar wil op een paard laten rijden.

Hij borstelt met zijn grote handen door het haar en opent zijn mond om wat te zeggen, bedenkt zich en perst de lippen stijf op elkaar.

„Bedankt, hoor Hendrik voor het lenen. Deze dame legt een kruidentuin aan en dankzij Rietje is het zaakje keurig geploegd, je mag komen kijken. Je snapt dat Wiebertje je zelf wilde komen bedanken!"

„Eraf! Ik wil eraf!"

Nu klinkt er heus paniek door in haar stem en Hendrik strekt zijn handen uit om haar er af te helpen. Maar aan de andere kant staat Meinte, die speels een arm om haar heen legt en berispend kijkt naar het opgeschoven rokje. „Foei, Wiebertje!", zegt hij kwasi bestraffend, „schaam je je niet om er zó verleidelijk bij te zitten en dat in gezelschap van twee vrijgezellen!"

Een klagelijk geroep vanuit de hoeve doet hen omkijken en Hendrik zegt bedrukt: „Moeder . . . ze heeft weer zo'n slechte dag en steeds ruzie met mijn schoonzus! Ik eh . . . ik ga naar binnen, breng je zelf het paard naar de wei, Boele?"

Diewertje vat moed en op de één of andere manier weet ze

het voor elkaar te krijgen toch op eigen kracht van het dier af te glijden. Ze werpt een boze blik op Meinte, slaat haar rok glad en rent terug naar huis.

En ze doet of ze de zachte woordjes die Meinte in het paardeoor fluistert, niet hoort.

Iedere avond is Diewertje in haar tuintje te vinden. De hele familie toont belangstelling voor wat Meinte „het project Wiebertje" noemt.

Janna verklaart vroeger ook een tijdje zich in kruiden te hebben verdiept en de vader van Margje, Gerrit Wickes komt geregeld kijken hoe zijn vroegere hof er bij staat. Immers, toen Margje een kind was en hijzelf de boer van „De Bruune Hoeve", was de hof zíjn hobby. Diewertje geniet van al dat medeleven.

Zelfs Hendrik Baank komt geregeld een kijkje nemen. Elke week ontmoet hij Diewertje op de zangavond en zijn schuwheid ten opzichte van Margje lijkt hij overwonnen te hebben.

Het is of zijn affectie nu overgebracht is op Diewertje, die voor zich zelf heeft uitgemaakt niet gediend te zijn van die stille hofmakerij.

Maar al gauw blijkt dat Hendrik behoefte heeft aan een luisterend oor. Hij helpt, gehurkt, Diewertje wieden, ondertussen vertellend van zijn zorgen om zijn moe. O, hij weet best dat moe niet geliefd is in het dorp.

Men vreest haar scherpe tong, de felle varkensoogjes die alles schijnen te zien. Ze heeft een heersende natuur, ze is haar schoondochter en zonen de baas. Diewertje heeft innig medelijden met haar jonge buurvrouw, die geen kwaad woord over buurvrouw Baank zegt. Maar een gemakkelijk leventje heeft die niet, dat is zeker.

Buurvrouw is moeilijk ter been geworden, ze moet overal mee geholpen worden en van vreemde hulp wil ze niet weten. De familie vreest dat ze de macht over beide benen zal verliezen, wat het geheel nog moeilijker zal maken.

Iedere dag komt Hendrik nu met hetzelfde verhaal, steeds vanuit een andere invalshoek.

Maar tot een kopje koffie binnen, in „De Bruune Hoeve", is hij niet over te halen.

Hij klaagt over de toestand die hem zorgen baart. Verwacht van Diewertje enige aanmoediging om verder te gaan, maar die krijgt hij niet.

Als ze op een avond samen uit de zang terug fietsen, stapt Hendrik over een hoge drempel. Diewertje, die zou vast wel met moe kunnen opschieten.

„Een aardig deerntje, dat vond ze haar in het begin al, méégaand. Zou er in de toekomst niet een mogelijkheid zijn . . ."

Diewertje krijgt de nijging te gaan gillen.

Hendrik Baank, een man met een kinderlijk trekje, een man die van zijn moe een jongen moet blijven. Maar haar gevoelig hartje stroomt over van meelij.

Zijn we niet op de wereld op elkaar te helpen? Ze trekt Hendrik haast van de fiets af. Zo kunnen ze niet praten. Verbouwereerd gehoorzaamt hij het meisje. Wat wil ze toch?

Zij wijst naar de groene graskant, daar kunnen ze even zitten. Haar ogen glijden automatisch de berm langs, of er iets van haar gading groeit of bloeit. Hendrik zet de fietsen tamelijk onhandig tegen elkaar en ploft neer. Boven hun hoofd jubelt een merel en de zwaluwen scheren laag over het weiland voor hen.

In plaats van twee uur zingen hebben ze maar een half uurtje kunnen oefenen in verband met een generale repetitie van een ander koor waar de dirigent naar toe moest.

Diewertje schuift een flink eind van Hendrik af. Hij zou eens verkeerde gedachten kunnen koesteren . . .

Maar het valt haar moeilijker dan ze dacht. Om iets onder woorden te brengen wat in je hoofd klaar is als een klontje, vraagt toch enige ordening.

Ze rimpelt haar neusje en legt peinzend een vinger tegen haar wang.

Als Hendrik, plompverloren zegt: „Diewertje, wil je misschien met mij trouwen?" slaat ze verschrikt een hand voor haar mond.

„Ikke . . . ik ben geen type om te trouwen! Bovendien ben ik te jong voor jou! Ik zie je moe al kijken, kom, jij moet een ander soort vrouw hebben!"

Ongelukkig kijkt de jonge boer haar aan. Even zag hij een zonnetje schijnen. Is er voor hem dan geen geluk weggelegd?

Nu schuift Diewertje weer iets naar hem toe.

„Hendrik! Je moet wat aan jezelf doen! Ik weet niet goed hoe ik het zeggen moet! Je klaagt steen en been over de verhouding bij jullie thuis, en je denkt: als ik met een vrouw aankom, zal alles wel anders worden. Maar dat is niet zo, Hendrik. Die verandering, waar jij zo naar verlangt, moet van binnenuit komen bij jou! Zie je niet dat jij gelééfd wordt? Ze misbruiken je allemaal, je broer en je schoonzus, je moeder óók. Misschien was je vader de enige die je begrepen zou hebben. Je moet groeien, Hendrik Baank! Je wilt toch niet levenslang de BRAVE Hendrik genoemd worden?"

Ademloos leunt Diewertje achteruit, steunend op haar handen. Ze durft Hendrik niet aan te zien. Lieve help ze heeft hem de mantel uitgeveegd alsof hij een schooljongetje was. Ze gluurt tussen haar wimpers door naar zijn reacties, maar wat ze ziet stelt haar gerust. Even was ze bang dat hij in tranen zou uitbarsten.

Hendrik recht zijn rug wat en onzeker mompelt hij hoe je zo'n verandering aanpakt? Brengt het hem soms een ander leven? Lost het iets op?

„Ja! Het lost een heleboel op, Hendrik! Je leert jezelf respecteren en kennen! Je moet op zoek gaan naar je eigen ... identiteit!"

Zo dat heeft ze knap gezegd, vindt Diewertje zelf. Dat mag ze dan ook wel eens tegen zichzelf zeggen. Misschien begrijpt ze daarom Hendrik zo goed?

Ze maakt een opsomming van wat hij kan doen en laten. Zich innerlijk afschermen tegen het geweeklaag van moeder Baank, wat niet mee zal vallen.

Niet altijd ja en amen zeggen tegen broer en schoonzus.

„Enne ... Hendrik, koop eens andere kleren! Wat jij draagt is wel zes modes achter. Jullie zijn toch niet ... ik bedoel ... Een trui en een vlotte pantalon, dat is eh ... niet zó duur, zal ik maar zeggen. En ga eens naar een kapper die echt model in je haar maakt. Die oude herenkapper waar jij in het dorp naar toe gaat, is half blind. Pure liefdadigheid om je aan zijn geknutsel te onderwerpen. Er zitten twee èchte kappers in het dorp en heus, je zult de meisjes eens zien kijken als je je laat zien op feestjes en uitvoeringen!"

Diewertje denkt: „Als meneer Thomas uit 'Dalenk' me hoorde, kreeg ik vast een complimentje."

„Is dat alles?", vraagt Hendrik met een zweem van humor, na een pijnlijke stilte.

Hij kijkt naar zijn „nette-uitloop-pantalon", die van zijn broer is geweest. En inderdaad, het colbertje dat hij draagt staat er afzichtelijk bij. Daar is zijn oog nooit op gevallen. Zijn schoonzus zal niet gauw een opmerking in die richting maken en zijn broer, wel, die zorgt voor zichzelf. En hoe!

Die Diewertje, zou ze dan toch . . .

Maar ze springt op en een jong konijntje rent weg, in het hoge gras achter hen. Diewertje is zich bewust van de aanblik die zij beiden op een eventuele voorbijganger zouden maken. Een paartje dat uitrust in de berm!

Diewertje maakt een vuist van haar kleine hand en zwaait er mee naar Hendrik.

„Zie je dat, Hendrik Baank, je moet een vuist maken tegen het leven, de mensen om je heen. Laat de ware Hendrik uit zijn schulp komen! Dat kan niemand voor je doen!"

Er wordt iets wakker in de jonge boer. Een vreemde vrijheidsdrang, het verlangen om zichzelf te leren kennen en gehoor te geven aan de eigen verlangens.

Zijn eerst zo vertrouwde kleding voelt hij opeens als gevonden voorwerpen en terwijl hij in iedere hand een fietsstuur pakt, zegt hij: „Ik zal morgen naar de kapper gaan . . . enne . . . ik moet tòch naar de stad om wat gereedschap, dan zal ik eens uitkijken naar eh . . . vrijetijdskleding. Op voorwaarde dat jij mee gaat naar de uitvoering van de muziek!"

En Diewertje durft geen néé te zeggen!

HOOFDSTUK 4

Diewertje heeft bezoek: Nora, opgewekt als de zomerzon

zelf, komt met bloemen en een doos ijs haar oude vriendin verrassen. Ze is verrukt van de kleine woning.

Nora draait aan de knoppen van de radio en als ze niets van haar gading kan vinden, rommelt Diewertje in haar voorraad cassettebandjes.

„Hier, Noor, vind je dat niet mooi? Een jeugdkoor dat de psalmen op een moderne manier zingt! Ik heb dat ding al bijna stuk gedraaid!"

Nora luistert kritisch. Het kan haar goedkeuring wegdragen. „Zingen jullie op het koor hier óók zulke liederen?" vraagt ze belangstellend.

„Van alles wat . . . lang niet iedereen houdt hiervan, weet je. Vooral de ouderen horen liever een ander genre. Maar de inhoud is hetzelfde!"

Nora luistert geamuseerd naar Diewertjes betoog over kerkmuziek, koren en gospelzang.

„We zijn zo'n beetje hetzelfde grootgebracht, Diewertje, maar ik merk dat het geloof in jouw leven een grotere rol speelt dan in het mijne! Hoewel ik toch bij een christelijke instelling werk! Maar toch kan ik haast met niemand over zulke dingen praten, jij wel?"

Diewertje aarzelt even met een antwoord. Ja, die tijd heeft zij ook gehad. Maar de periode in Lübeck heeft haar in dat opzicht veel geleerd. Zou ze Nora vertellen van haar belevenissen in dat gezinnetje waar ze geruime tijd is geweest?

Aarzelend probeert ze het. „Weet je, mevrouw Passchier, mijn eh . . . werkgeefster in Lübeck, Barbara heet ze, die heeft het erg moeilijk gehad! Ze is aan heroïne verslaafd geweest, een broer is gestorven aan een overdosis. Haar huwelijk ging bijna mis door al die ellende en ze heeft getracht een eind aan haar leven te maken. Toen is ze opgevangen door een christelijke instelling voor verslaafden. Ze hebben haar niet alleen afgekickt maar ook wat meegegeven. Ze hebben haar als het ware òmgekeerd. Zo noemt ze het zelf! Nu leeft ze volkomen uit de Hand van God! En, Nora, dat vind ik zo mooi, ze zwijgt er niet over, ze geeft het aan iedereen in haar omgeving mee. Zie je, dat mis ik nu wel een beetje, die gesprekken met haar. Het jongetje dat geboren is heet Theodoor, een Godsgeschenk beduidt die naam. Mooi hè?"

Diewertje kijkt Nora vol verwachting aan. Hoe zal ze reageren op zoiets? Ze kan het niet verdragen als er geschimpt wordt op het geloof. Maar daarvoor hoeft ze niet bang te zijn. Nora knikt, schikt wat aan haar blonde krullebol en verklaart ronduit jaloers op zo iemand te zijn.

„Maar Noor, ze heeft me nogal wat meegemaakt . . . zou je dat er bij willen hebben?"

Nora zuigt haar roze wangen naar binnen en schudt langzaam haar hoofd.

„Wat denk je dat ik te horen krijg van de patiënten die ik verzorg op 'Zonneheuvel'? Meid . . . er is zoveel ellende en ik ben dankbaar voor een gewone dag. Wat later komt, wel, dat zie ik dán wel weer! Je moet een zekere distantie in acht nemen in mijn beroep, anders red je het niet. Degenen die teveel van zichzelf in de verpleging stoppen, die gaan er kapot aan!" En dan, nadenkend: „Maar inderdaad, zoals sommigen onder hun ziekte zijn, hóe ze het weten te dragen, waar ze de kracht vandaan halen, je staat ervan te kijken. Er is één dametje, die is zo blijmoedig . . . dat ontroert me toch, of ik het wil of niet! Terwijl haar horizon met de dag dichterbij komt."

Het zwijgen tussen hen is nu geladen van de vele gedachten. Nora is de eerste die de ban verbreekt. Ze springt op, lacht opgewekt en trekt Diewertje op uit haar stoel. „Kom, laten we eens in de regen gaan wandelen! Het ruikt vast verrukkelijk, meid!"

Het is opgehouden met regenen, maar het loof aan de bomen is zwaar van het vocht en warme dampen stijgen op uit de aarde. Het liefst zou Diewertje zich over haar jonge aanplant buigen, maar instinctief weet ze dat Nora er niet de juiste belangstelling voor heeft.

„Een zwangere poes, wat énig!" roept Nora, als ze een zwarte kat uit de gereedschapschuur ziet stappen.

De poes streelt langs hun benen met opgestoken staart. „Wat een luide snor of hoe noem je dat, heeft dat dier over zich!" schatert Nora. Het spinnen klinkt inderdaad als een licht motortje.

Ook Margje is naar buiten gekomen om een frisse neus te halen en Nora houdt nog net bijtijds de woorden: „zo boerin zo poes" in, als ze Margjes zwangerschap met één oogopslag vaststelt.

Margje vindt het leuk kennis te maken met een vroegere huisgenote van Diewertje.

Nora bejubelt de woonruimte van Diewertje. Geweldig, wat is ze daar jaloers op! Als Margje nog eens zo'n soort huisje weet te staan, ze houdt zich aanbevolen!

Margje voelt zich aangetrokken tot de zonnige Nora, ze herkent er iets in van datgene wat haar zus vroeger tot een prettig gezelschap maakte.

Nora wil graag het interieur van de boerderij zien. Is alles er nog als vroeger of hebben ze in de loop der jaren veel verbouwd?

Margje is nog steeds trots op het bezit. Maar dankzij haar man, Christiaan, loopt alles op rolletjes, dat moet ze eerlijk toegeven! „Hij is boer in hart en nieren, nog méér dan ik!"

Nora is stomverbaasd als ze hoort dat Margje een tijd alleen het bedrijf heeft gerund.

„Hoewel . . . ik had een beste knecht! Maar hij kreeg last van reuma, en ik geloof zelfs dat ze proberen voor hem een plaatsje bij jou, op 'Zonneheuvel' te krijgen."

Nora belooft eens te zullen informeren.

Margje stelt Nora voor aan Christiaan, die even weg is geweest. „Dus die antieke fiets is van jou!" knikt hij.

Diewertje kijkt verlangend naar buiten. Nu moet ze tot morgen wachten met wieden, want Nora schijnt het hier naar haar zin te hebben, het klikt tussen het boerenechtpaar en de verpleegster.

„Zeg", komt Margje, terwijl ze wijst naar de stoelen in de zithoek, „kom er allemaal eens bij zitten, ik geloof dat ik wel een huis voor je weet Nora!"

Ze vertelt dat op hun erf een zogeheten arbeidershuisje staat waar de knecht, Klaas, vroeger in heeft gewoond. Het is niet al te best onderhouden het laatste jaar en er staat nog veel in dat Klaas toebehoort. „Je moet weten dat Klaas een tijd bij zijn dochter heeft gewoond en daarna in een ziekenhuis is terecht gekomen voor een onderzoek dat diende om de juiste medicijnen te bepalen. En dat huisje wilden we op den duur verhuren, een vaste knecht nemen we toch niet meer, die tijden zijn voorbij! Maar ergens vond ik het zo pijnlijk om Klaas' spulletjes er uit te halen, weet je!"

Christiaan knikt. Die dingen laat hij met genoegen aan zijn vrouw over.

Margje babbelt verder: „Het huisje is van hieruit net niet te zien en het heeft een eigen oprit, alleen aan de bruine luiken is te merken dat het bij de hoeve hoort. Je moet het zo maar eens met Diewertje gaan bekijken!"

Nora straalt als een zonnetje. „O meid toch!", roept ze telkens tegen Margje.

„Een eigen huis . . . ja, dat is een tic van mensen zoals Diewertje en ik! Dat blijft aan je knagen, opgegroeid te zijn in een tehuis!"

Nu meent Margje toch òp te moeten komen voor Janna Boele, die een bovenste beste vriendin van haar is en aan haar moeten ze niet niet komen.

Sussend legt Nora het wat duidelijker uit: „Kijk, bij ons waren wezen, maar ook ongewenste kinderen of jongens en meisjes waarvan de vader en moeder uit de ouderlijke macht ontzet waren. En 'Dalenk' was ons thuis, een best thuis, maar je bleef jaloers op kinderen die in een echt gezin woonden! Ikzelf heb jaren doorgebracht in een pleeggezin, mensen die mij uit 'Dalenk' weggehaald hebben. Maarre . . . daar praat ik liever niet over!"

Ze laat haar blikken glijden van Margje naar Christiaan, die naast elkaar op de bank zitten en automatisch de handen inééngestrengeld hebben.

Sceptisch denkt ze: „Voor hoelang?" Nee, vertrouwen in huwelijkse banden heeft ze niet, er is iets kapot in haar.

Diewertje vindt dat er genoeg is gepraat over dat tere onderwerp en stelt voor om maar eens een kijkje te gaan nemen in het huis van Klaas.

Margje haalt de sleutel en geeft hem Diewertje. Zij heeft last van gezwollen voeten en Christiaan heeft al zijn papieren voor de boekhouding te voorschijn gehaald.

Samen lopen ze de geurende avond in, Nora en Diewertje. Diewertje vraagt zich af of ze het wel zo fijn vindt om Nora zó dicht in de buurt te hebben, Nora die hoort bij vroeger, „Dalenk", bij de jeugdjaren. Nora, die haar „mussengevoel" weer in de herinnering heeft terug gebracht!

Als ze buiten gehoorsafstand van Marg en Christiaan zijn, informeert Nora hoever Margje is wat de zwangerschap betreft.

Diewertje rekent vlug op haar vingers. Eens kijken, dat zal toch zeker wel oktober worden voor het kindje er is.

Nora zuigt nadenkend haar wangen weer naar binnen, als teken dat ze nádenkt.

„Nou, dat vind ik met mijn lekenogen dat ze al aardig zwaar is, zeg! Zou ze zich niet verrekend hebben?"

Diewertje schiet in de lach. Dat lijkt haar niet waarschijnlijk. Maar Margje heeft ook veel klachten en moet niet voor niets kalm aan doen van dokter Huisman.

Nora is door het dolle heen als ze het huis van Klaas ziet. Goed, het geheel is tamelijk verveloos, er is bovendien lange tijd niet schoongemaakt.

De sleutel knarst in het slot en Diewertje slaat een paar spinnewebben weg. Ze gaat Nora voor, de kleine ruimte in. Vreemd, dat ze zelf niet aan dit huis gedacht heeft toen Nora te kennen gaf andere woonruimte te zoeken.

Een smalle gang leidt naar de keuken, opzij is een deur naar de huiskamer. In de kamer zijn twee kastdeuren, naar het schijnt. „Dat was vroeger een bedstee!" grinnikt Diewertje. Tot Nora's spijt is er een kamertje van gemaakt, met een breed raam dat uitziet op de straatweg.

„Zonde . . . ik had een bedstee nu net het einde gevonden!"

Diewertje trekt afkeurend haar neus op. Onfris, is haar mening. De meubels van Klaas staan er zielig bij, dat doet Diewertje pijn. Ze weet nog zo goed hoe het er hier uit zag! Zou alles nu op een brandstapel belanden? Of in een container? Of verkocht worden in een winkel voor tweedehands goederen? Ze zucht ervan. Maar nu kent ze Nora klaarblijkelijk toch niet goed genoeg.

Verrukt is ze van de ouderwetse rookstoel. Ze ploft er ongegeneerd in neer en leunt achterover.

„Héérlijk! Wat een zetel. Een troon, Diewertje! Denk jij dat die Klaas van jullie het goed vindt als ik wat overneem van deze omaspullen?"

Diewertje denkt aan de geriefelijke stoeltjes uit haar eigen huisje en staart Nora aan. Smaken verschillen.

Het schilderij aan de wand vindt ze wel mooi, een familie die in een schaars verlicht vertrek aan tafel zit, met gevouwen handen. Dat zou ze graag willen hebben.

Nora huivert, Diewertjes blik volgend.

Schuldig zegt Diewertje: „We zitten hier de boel van Klaas te verdelen, bá!"

„Zo is het leven, meid!" Het klinkt opgewekt uit Nora's mond en Diewertje klemt haar lippen opeen.

Nora heeft haar inspectietocht beëindigd. Geweldig, je kunt er zelfs met z'n tweeën wonen, als het moet!

„Als je toch nog eens trouwplannen krijgt?", vraagt Diewertje onschuldig. Nora lacht hard en kijkt medelijdend Diewertje aan. Haast teder zegt ze: „Ach, musje toch . . ."

Diewertje heeft er genoeg van en loopt naar buiten. Nora volgt haar met opgewekte stap.

Het wordt nu donker buiten en de poezen buitelen over elkaar heen. Reintje jaagt ze met een boze blaf de bomen in. „Zie eens, wat romantisch!" geniet Nora, wijzend op „De Bruune Hoeve", waarbinnen het lamplicht mild de hoofden van de twee bewoners belicht, die vlak bij elkaar aan de tafel zitten. „Dus dat doet je toch wel wat?" stelt Diewertje opgelucht vast. „Maar meid, ik ben niet afkerig van liefde!" komt Nora verontwaardigd. „Ik geloof alleen niet in eeuwige trouw, zoals jij!"

Diewertjes gevoelige aard is gekwetst, ze kan het niet verklaren waarom en hoe.

Nora gaat nog even mee naar binnen en maakt een afspraak langs te komen voor verdere inlichtingen. Margje staat er op éérst zelf met Klaas te willen spreken. „Niet dat er kans is hoor, dat hij ooit terugkomt! Maar hij was vroeger een tweede vader voor mij. Ik ben hem veel verschuldigd." Er klinkt bezorgdheid uit haar stem en Christiaan, die het laat genoeg voor zijn vrouw vindt, staat op. Nora begrijpt de wenk en geeft rap handjes, wipneus in de lucht, kuiltjes in de wangen en een dansende bos krullen.

Als Diewertje in het donker naar haar huisje glipt, is er onvrede in haar. Hoe moet het zijn om bij iedereen in de smaak te vallen, bij eh . . . mannen, bij Meinte in het bijzonder?

De zwarte poes rent voor haar uit, naar binnen. „Kom jij maar hier, Blackie", fluistert ze en uit de aanwezigheid van het dier put ze een kleine troost.

HOOFDSTUK 5

Diewertje is jarig en de boerin Margje maakt dat deze dag een bijzondere wordt!

Diewertje wordt 's ochtends begroet met een „Lang zal ze leven" en de woonkeuken is zelfs versierd!

Er zijn cadeautjes en de post brengt een brief uit Australië, van nicht Stien. Er is een kaart van Klaas en een ansicht uit Lübeck, van het gezin waar Diewertje tot voor kort werkte. Het is een foto van een biddend kindje en er staat onder gedrukt:

Bist Du auch einsam und allein
Dann schaun' durch dein Fenster die Engel hinein!

Afzender: Barbara, Remco, Saskia en Theodoor!

Die zet ze in een lijstje, dat is zeker!

„Jullie hebben het te gek gemaakt!", zegt Diewertje verlegen terwijl ze bladert in het zojuist gekregen Bijbels dagboekje. Het is er één die ze juist zo graag wilde hebben.

Maar dat andere cadeau durft ze haast niet te accepteren . . . nota bene, in een enveloppe zat een simpel briefje waarop stond „goed voor het behalen van je rijbewijs!"

Ze weet niet hoe ze Christiaan en Margje moet bedanken. Maar daar worden woorden weggewuifd, Margje heeft nog méér in petto.

Op eigen houtje heeft ze een stel mensen uitgenodigd, bij de bakker het nodige besteld en zo krijgt Diewertje te horen dat ze het er die dag maar van nemen moet.

Natuurlijk is 's avonds Nora de eerste die haar bezoek met een luide bons op de deur aankondigt. Ze steekt gelijk haar handen uit de mouwen, ze weet de weg immers al in het kleine huis?

Janne Boele komt niet alleen, ze heeft haar zoon Meinte meegebracht, die even verbluft Nora aankijkt. Waar kent hij deze schoonheid van?

Wat een vóórpaginatype...

Janna omhelst Diewertje, die bijna geheel verdwijnt in de forse armen.

Al heel snel merkt ze dat haar zoon zijn ogen niet van de kokette Nora kan afhouden. Ze hoort hoe het meisje Meintes geheugen opfrist.

Ja, ze is één van zijn moeders pupillen geweest en terwijl ze de bloemen schikt, die de tuinman van „Dalenk" voor Diewertje heeft meegegeven, vertelt ze haar levensloop tot de dag van vandaag. Het klinkt allemaal losjes en vlot, alsof er nooit één schaduw is geweest.

Janna ergert zich terwille van de jarige, die Nora stelt zichzelf centraal en medelijden kruipt in haar hart.

Meinte is bepaald geen vrouwengek, om het maar eens grof uit te drukken, overpeinst ze. Hij heeft tijdens zijn studentenperiode vrienden èn vriendinnen gehad, maar nog nooit heeft ze zijn ogen zó gezien. Die hongerige uitdrukking staat haar tegen. Nora heeft ongetwijfeld charme, dat zal ze niet tegenspreken. Maar iets in het meisje wekt haar weerzin op, hoewel ze nooit de moeite heeft genomen bij zichzelf uit te zoeken wat dat inhoudt. Nora heeft, voor zo ver ze weet, geen vaste vriend. Maar af en toe komt haar wel ter ore dat de jonge vrouw gemakkelijker in haar opvattingen is dan wenselijk zou wezen.

En Diewertje... met pijn ziet ze dat Diewertje weer de „kloosterblik" in de ogen heeft: zo van „ik trek me terug in mijn hokje en ik heb geen mens nodig, laat me met rust". En ze dacht nog wel dat ze over die gevoeligheden héén gegroeid zou wezen!

Meinte gaat volledig op in zijn conversatie met Nora. Samen zitten ze op een krap bankje. Even is er trots in Janna Boele.

Meinte is een man aan het worden zoals menige moeder die voor haar dochter zou wensen!

Hij heeft een open gezicht, een vrolijke glinstering in zijn ogen, die op hun tijd ook zo ernstig kunnen staan. Er zijn geen plooien of groefjes in zijn huid die ontstaan zijn door ergernissen of iets van dien aard. Zijn lichte overhemd staat open aan de kraag en of hij nu een corduroy pantalon draagt, zijn werkuitrusting of een kostuum, hij voelt zich in elke kleding thuis, dankzij het gemakkelijke figuur dat hij heeft.

Diep in haar hart is Janna trots op hem. Maar die Nora . . .

„Wat heb je daar een mooie kaart staan, Diewertje! Van wie heb je die?"

En hardop vertaalt ze: „Ben je ook eenzaam en alleen, dan kijken door het raam de engelen naar binnen . . . Prachtig hoor!"

Moeder Anne, gearmd met Margje, komt binnen zonder kloppen. Margje overziet in één oogwenk de situatie. Nora en Meinte. Ze vindt de verpleegster een leuke meid, maar dat uitgerekend Meinte dat ook moet vinden!

Moeder Anne krijgt een stoel naast Janna aangeboden waar ze met een zucht van vermoeidheid in gaat zitten. „Wel, wel, ìk voel mijn onderdanen hoor! Margje heeft me opgehaald, lopend. Zíj moet van de dokter lopen, zie. Nu moest ik er aan geloven, maar háár tempo kan ik niet bijbenen!"

Meinte haalt een krukje waar de vroegere boerin van „De Bruune Hoeve" haar benen op kan leggen.

„Zoek voor Marg ook maar zoiets", commandeert zijn moeder die ongerust op de gezwollen benen van Margje wijst. Inwendig moppert ze: die Marg springt weer eens veel te vlot met zichzelf om!

Diewertje loopt met een rozig gezichtje met de dienbladen rond.

Het gepraat van de visite gaat grotendeels langs haar heen. Maar wel houdt ze, ondanks de drukte, die twee op het bankje in de gaten.

Nora ontdekt opeens de sjouwende jarige en beschaamd springt ze op. „Hier dat blad, meid!" en Diewertje ziet nog net hoe Meinte haar naziet, vol bewondering en nog iets anders, dat ze niet thuis kan brengen. „Was ik maar in Lübeck gebleven", schiet het door haar heen.

Janna vertelt over het jaarfeest, dat binnenkort op „Dalenk" gegeven wordt. Dat zal gelijk zijn met de reünie, die gewoonlijk druk bezocht wordt. Nora haalt allerhande herinneringen op, die het gezelschap herhaaldelijk in de lach doen schieten.

Diewertje denkt verdrietig dat die bolle moorkop, gevuld met slagroom, niet aan Meinte besteed is; ze zou er wat om durven verwedden dat hij het niet geproefd zou hebben als ze er een lik groene zeep over had gedaan.

Opeens is daar de schaterlach van Nora. „En gróót dat wij ons voelden! Vergeleken bij die anderen dan, hè? Weet je hoe wij de groep van Diewertje noemden? De mussen! Ja, omdat ze altijd kwetterden en op de achtergrond bleven, tevreden met de eenheidspap en de grauwe veren!"

Nu lachte Meinte luid en dat doet Diewertje pijn. „Ik zou zelf ook niet proeven of ik wel of geen groene zeep at", realiseert ze zich bedrukt.

„Prachtig, Wiebertje!" Dat is de stem van Meinte. „Musje, dat klinkt veel mooier dan Wiebertje! Ik noem je in het vervolg maar Musje!"

Hij laat die woorden vergezeld gaan met een warme blik, zoals een vader die aan zijn kind schenkt en Diewertje zou er een heleboel voor geven als ze hem één keer naar haar had zien kijken, zoals hij dat naar haar vroegere huisgenootje deed.

Anne Wickes vraagt aan Nora of hun knecht Klaas al snel een plaats krijgt in „Zonneheuvel".

Nora begint enthousiast te vertellen over de kamer die hij krijgt. „Ja ja . . . hij is zelf wezen kijken met een dochter samen. Hij was best tevreden en ik geloof dat hij blij is niet langer afhankelijk te hoeven zijn van één van zijn kinderen. Ik kon best met hem opschieten . . . hij vond het geweldig leuk dat ik in zijn vroegere huis kom te wonen!"

Nu wordt het onderwerp huisvesting doorgepraat. Huizen, verhuizen, woninginrichting. De theepot raakt leeg en de gebakschaal eveneens.

Bonbons op een bordje waarop geschilderd staat: „Groeten uit Zevenaar" gaat rond. Diewertje speelt het volmaakte gastvrouwtje, maar de kloosterblik blijft in haar ogen.

„Wie hebben we daar?"

Margje zegt het verbaasd en richt zich wat op in haar stoel om beter door de hoge raampjes te kunnen zien.

Allen volgen haar voorbeeld en Diewertje zegt verrast: „Dat is Hendrik Baank! Lieve help!"

Die laatste uitroep is niet om het feit dat de buurman aan haar verjaardag denkt, maar veeleer om zijn uiterlijk.

Hij heeft zijn haar zeer kort geknipt, „stekkeltjes" noemen de dorpskinderen zo'n kapsel. Zijn eeuwig slobberende broek is verwisseld voor een perfect zittende pantalon van dunne zomerstof, precies kleurend bij het beschaafd geruite overhemd. Diewertje kleurt dieprood. Niet uit de één of andere verlegenheid, en het veelbetekenend kuchje uit Nora's keel is niet op zijn plaats. Maar: Hendrik heeft naar haar geluisterd! Hij is inderdaad bezig uit zijn schulp te kruipen. En ware metamorfose, dat is het.

Ze haast zich om de deur open te doen, zich afvragend of Hendrik wel raad weet met een kamer vol mensen.

Maar: de nieuwe kleding, het veranderde uiterlijk schijnen de jonge boer ook inspiratie op ander gebied gegeven te hebben.

Diewertje krijgt een stevige hand en een cadeautje namens moe. Hij gaat, als een gehoorzame jongen, het hele rijtje af. Margje knikt hem hartelijk toe. „Zo, buur, je hebt het goeie goed aan, zie ik?" Ze kan niet nalaten hem even te plagen.

„Wat wil je, hè?" komt het voor Hendriks manier van doen vlot er boven op: „Als je bij een dame op visite gaat..."

Hoopvol denkt Janna: „Zou díe jonge man niets voor mijn Diewertje wezen?" Maar die gedachte laat ze varen als ze merkt dat de kloosterblik niet wijkt.

Hendrik blijft maar even, want zijn broer heeft hem nodig. Anne luistert met een warm gevoel naar het verslag over de toestand van moeder Baank. Ach, ach wat ìs het leven soms toch een opgaaf. Ze hebben zich vroeger wat geërgerd aan die lastige buurvrouw, bedenkt ze met wroeging.

Maar een mens kan niet alles van te voren weten. „Ik zal gauw eens langs komen Hendrik, denk je dat ze dat graag wil?" Hendrik drinkt zijn glaasje fris uit en haalt de schouders op. „Dat weten we nooit van te voren, buurvrouw Anne. De dominee komt zowat elke week . . . hij praat en bidt met haar. Want ze wil graag uit de Bijbel voorgelezen worden, en ìk lees niet zo eh . . . duidelijk en dan ergert ze zich. En met mijn schoonzus kan ze op het moment helemaal niet opschieten. Tja . . ."

Er valt een stilte, ieder heeft even genoeg aan de eigen gedachten. Diewertje peinst dat ze allemaal, stuk voor stuk, ze zich toch wel erg druk maken om datgene wat henzelf aan gaat.

Zij zelf óók . . . iedere avond gaat het op een holletje naar het kruidentuintje terwijl er achter de heg een ziel snakt naar een paar stukjes uit Gods Woord!

Met zachte stem komt ze, ook voor zichzelf onverwachts: „Ik . . .ìk zal 's avonds wel eens komen om te lezen, Hendrik! Vroeger in het huis las ik de kleintjes ook altijd voor, ik doe het graag!"

Anne knikt tevreden. Margje boft met zo'n trouwe ziel, wat een hulp is me dat kind. Het hart op de goeie plaats. Nora kijkt nadenkend en Meinte houdt, dankzij de strenge blik van Janna, een grapje in.

Hendrik echter, veert verheugd overeind. Prachtig, wat een aanbod! Daar zal dominee ook blij om zijn. Want zijn moeder mag dat deerntje van „De Bruune Hoeve" wel!

Als de visite weer verdwenen is, blijft het gevoel van onbehagen Diewertje plagen. Zelfs een „potje wieden" brengt geen rust.

Achter de struiken weet ze het aanstaande huis van Nora. Over een week of twee komt Meinte weer helpen op de hoeve.

Haar smalle schouders zakken omlaag en verdrietig staart ze naar de sterke, jonge plantjes die in rijtjes als zoete schoolkindertjes staan.

Ze is geen kind meer, dat is het. Wanneer is dat nieuwe, dat onbekende over haar gekomen? Als een dief heeft het bezit van haar genomen, dat, wat men volwassenheid noemt.

Net of de ogen open gaan voor heel andere dingen.

Buurvrouw Baank die zich niet met haar leven meer kan verzoenen, strijd levert met zichzelf en misschien wel met God.

Moeder Anne, die alsmaar rimpeliger en stijver wordt. Klaas in Zonneheuvel. Reumatisch, in een karretje.

O ja, er is nog meer. Margje die zo moeilijk voortkan, en nog wel vier maanden moet wachten voor het kindje komt.

Hendrik, die zo alleen is en zijn broer en schoonzus die ruzie maken met een lastige, oude, maar zieke vrouw.

Tranen vullen Diewertjes ogen. Gedachteloos veegt ze ze weg. Haar oogleden branden en voor zich heen mompelt ze: „Euphrasia officinalis . . . ogentroost, dat moet ik maar eens gaan zoeken, misschien helpt het mij tenminste!"

En het oude verhaaltje schiet haar te binnen, het sprookje waarin verteld werd dat de glasvink ogentroost at om mooie heldere oogjes te krijgen!

Resoluut draait ze zich om. Wat een verbeelding, een mus die denkt zich met een glasvink te kunnen vergelijken!

HOOFDSTUK 6

„Goedenmorgen . . . U zegt steeds zúster Nora, maar als u wilt, zeg dan maar liever 'Nora', dat vinden wij wat huiselijker. En dat is toch de bedoeling hè, dat u zich hier echt thuis zal gaan voelen!"

De onzekere blik in de ogen van Klaas maakt plaats voor een verwonderde. Wat de tijden toch veranderen. Nora . . . Hij richt zich wat moeilijk op en steekt zijn verstijfde hand naar haar uit en zij, ze doet net of ze die hulpeloosheid niet opmerkt.

Even vergelijkt Klaas de jonge vrouw met zijn dochter, waar hij bijna een jaar in huis is geweest. Maar veel langer had het niet moeten duren. Dat eeuwige gevit, de akelige orde in dat huis! Wat snakte hij naar „De Bruune Hoeve" terug. Soms dacht hij dat het beter was te mogen sterven, dan zo verder te moeten. Eigenlijk was het een opluchting, voor beiden, dat plaatsje in het tehuis. En zo dicht bij de jonge baas, Margje.

Het deerntje, zo noemt hij haar in gedachten nog. En deze Nora zal nu in zijn oude huisje gaan wonen, het woninkje waar hij met zijn vrouw toch goede jaren heeft door mogen brengen.

Nora rijdt de rolstoel tot vlak bij zijn bed. „En, waar wil meneer vandaag heen gebracht worden?"

Ze telt op haar vingers: het dorp in, naar de winkels! Of: naar de praatbank in het plantsoen, dè ontmoetingsplaats voor èh . . . bejaarde heren. Bijna had ze „ouwe mannetjes" gezegd. Namelijk in het dorp wordt de bank in het park „de ouwe mannetjes praotstoel" genoemd.

„Misschien naar de één of andere oude vriend?" oppert Nora bereidwillig.

Klaas glundert. Hij doet zijn best geen dialect te spreken, merkt Nora. „Ik zou graag naar 'De Bruune Hoeve' willen!"

En meteen er bovenop: „Daar noemen ze me Klaas . . . zeg dat ook maar, zu . . eh . . Nora!"

En met een grappige tongval reageert ze: „Dat zâ 'k doen, heur, Klaas!"

Ze lachen samen in een vertrouwelijke saamhorigheid. De getrainde armen van Nora helpen de verstijfde man in het wagentje. Zorgzaam schikt ze een geruite plaid over zijn knieën.

Klaas schudt zijn hoofd. „Ie doet of ik invalide benne!"

„Welnee Klaas, ik breng je juist naar de voetbaltraining!"

Met gemak duwt ze de licht rijdende wagen het gebouw uit. Klaas knikt naar de nieuwe bekenden, die ze voorbij rijden. Triest denkt hij: „Wij bennen als het er op ânkomt allemaal stumpers . . . zelfs de mensen met een gezond lijf." Later, ja, na het sterven, dan wordt het pas zo als God het wil.

IJdelheid, niets dan ijdelheid zie je om je heen.

Het is buiten warm, maar toch heeft Klaas geen hinder van de deken op zijn benen.

Nora zingt zacht voor zich heen. Het is ook zo heerlijk buiten. De zomer trilt rond om hen. Geuren van hooi en bloemen. De bermen zijn niet helemaal gemaaid en er groeit van alles. Klaas weet zo de namen niet, maar hij herkent de gewassen als verloren gewaande vrienden. Daar, warempel nog een stuk waar gerst staat! Hij houdt een hele verhandeling tegen Nora over grondsoorten, gewassen van vroeger en nu. Nora weet te luisteren.

„Nou zie'j haast overal maïs . . . vroeger groeide hier graan, op die glooiende akkers. En as het bloeide, dan stoof het. Hê'j doar wel es van 'eheurd, Nora?" Bijna had hij „deerntjen" gezegd, maar dat gaat hem te ver! Nee, Nora heeft nog nooit van het stuiven van graan gehoord.

Klaas vertelt hoe schitterend dat is, die golvende velden, de stengels met gouden pluimen die zacht bogen in de wind en dan éven de waas van het stuifmeel. Hij heeft de geur warempel nog in de neus, maar die kun je moeilijk beschrijven.

Het is een flinke wandeling tot aan „De Bruune Hoeve", doch Nora beweert dat zoiets uitstekend voor de lijn is. Klaas grinnikt. Dat zal wel, díe, hm, díe ziet er uit als een plaatje zoals dat vroeger bij de kauwgom in zat. En vrolijk is ze ook nog. Niets is haar teveel en ze geeft je het gevoel een volwaardig mens te zijn. Niks geen gewauwel van: Hèè, opa, hoe gaat het met ons . . . hebben we goed geslapen of plaagt de reuma vandaag?

Nee, zoals die mochten er wel meer zijn!

Ze zet er de pas stevig in en dat vervelende gevoel afhankelijk te zijn neemt ze helemaal weg. Gisteren maakte ze het te bont, maar hij moest er wel om lachen. „Denk maar dat u de één of andere rijke Oosterse vorst bent die zich door zijn dragers laat vervoeren! Die zeggen ook niet: Ach mijn arme bediende, ben je dan zo moe en is de vieze grond zo hard aan je blote voeten?"

„'De Bruune Hoeve', Klaas! Zou de boerin de rode loper nog voor je uit gelegd hebben?"

Klaas moet wat wegslikken. Het rieten dak dat als een beschermende muts op het bouwsel rust, de bruine luiken, half gesloten voor de zon en een bloeiende border met zijn ouderwetse aandoende aanplant. Bloedend hartje, lupinen en duizendschonen. Margrieten en balsemienen. In de oude hof staan de jonge fruitbomen er goed bij, dat ziet hij allemaal in één oogopslag. Alleen die caravan, die hóórt niet zo in het gezicht te staan. Maar misschien trekt die jonge knul er wel weer in, van 't zomer.

Ach, en de oprit is verhard met rood puin, lijkt het. „Gravel!" meent Nora.

Ze houdt de wagen even stil vlak voor het pad dat naar de achterdeur voert. Ze merkt best dat Klaas het nu te kwaad heeft en opgewekt babbelt ze over de bloemen, de zonnewarmte die je boven de weilanden ziet trillen en de laag scherende zwaluwen.

De kleine, roodharige huisbewaarder, Reintje, heeft als eerste in de gaten dat er volk nadert op zijn terrein. Hij lag nèt zo heerlijk op het terrasje in de zon, en nu dit weer!

Grommend staat hij in één beweging op zijn pootjes, rekt de nek en uit een boze blaf.

Dan schiet hij als een pijl uit de boog, dreigend keffend, tot vlak aan de weg, waar hij op enkele meters afstand van die vreemde mensen blijft staan. Maar nu ruikt zijn glimmende neus iets héél vertrouwds ... iets dierbaars uit een voorbije tijd. Snuif ... snuif!

„Keerltjen toch!", roept Klaas en Reintje, die opeens de stem herkent, springt pardoes tegen de toegedekte benen op. Klaas streelt de door de zon verwarmde vacht, smakt met zijn lippen, een geluidje dat Reintje zó opwindt, dat hij met een wilde sprong op zijn schoot belandt.

Nora ziet glimlachend toe. Wat een dolle begroeting. Klaas, met één gekromde en één goede hand, houdt het dier tegen zich aan en Nora duwt ze samen naar de ingang bij de bijkeuken.

Christiaan, die net met de veearts Hijma aangelopen komt opzij van het woonhuis, toont zich verrast. Hijma drukt de slappe hand van de oude knecht en ook hem doet het wat, de eens zo vitale, altijd actieve man zo terug te zien. Maar Klaas zit daar niet mee. Met een knipoog en een kwinkslag is de verhouding al gauw zoals die vroeger was.

Diewertje doet de bijkeukendeur open. Langs de mannen heen kijkend ziet ze Nora, die zich even op de achtergrond heeft gehouden. Met één oogopslag meet Diewertje de deuropening en de breedte van de rolstoel.

„De Bruune Hoeve" is niet zoals „Zonneheuvel", ingesteld op invaliden.

Ondertussen heeft Hijma kennis gemaakt met de zuster. Zijn gebruikelijke haast om weg te komen naar het volgende adres schijnt vergeten.

Nora maakt handig van die gelegenheid gebruik. Of meneer zo vriendelijk wil wezen en éven helpt Klaas naar binnen te brengen. Hijma kijkt of het een eervolle opdracht is en Diewertje denkt: „Mannen worden net kleine jongens als ze een vlotte vrouw zien. Of, nog beter: net kakelende haantjes." Intuïtief staat haar dit tegen.

Met z'n allen krijgen ze het prima voor elkaar, Klaas troont even later op een hoge stoel, die ook door moeder Anne geprefereerd wordt als ze bij haar dochter op bezoek is.

Gelukkig kijkt Klaas rond. Waar of de jonge baas is, Margje!

Aarzelend vraagt Diewertje aan Christiaan of ze haar uit haar middagslaapje moet halen, maar Christiaan schudt van nee. Anders is ze vanavond maar een half mens. Laat haar nog maar een half uurtje, Klaas heeft toch geen haast?

De mannen vertrekken en het doet Diewertje goed dat de boer immuun voor de charme van Nora is.

Nora, die er in haar werkkleding net zo aardig uit ziet als in een avondjapon, maakt het zich gemakkelijk. Het is binnen heerlijk koel na de zonnewarmte buiten.

Diewertje haast zich om Klaas te verwennen met wat frisdrank en een dik stuk door haar gebakken cake en Klaas beweert juist dat laatste zo gemist te hebben.

Als Margje, die toch eerder wakker is geworden door de vele stemmen in huis, binnenkomt, schrikt Klaas een ogenblik van haar veranderde uiterlijk. Hij had haar nog niet weer ontmoet sinds ze in, zoals hij dat noemt, gezegende toestand is. Ze loopt achterover geleund, lijkt het.

„Klaas!" Het klinkt ontroerd, de boerin heeft tegenwoordig nogal eens te kampen met een paar snelle traantjes.

Klaas is haast een vader voor haar geweest. Hij is op Margje eigenlijk nog méér, dan op de eigen dochter, gesteld. Hij heeft haar zien opgroeien, haar hunkering meegemaakt om zelf het bedrijf te leiden. Náást haar gestaan toen het zover was. Ook haar liefde voor Christiaan mocht hij zien groeien. Ja, wat dat betreft is het leven goed voor hem geweest, hij heeft zijn actieve jaren door mogen brengen in een omgeving waar hij gewaardeerd werd.

Maar bij een theevisite blijft het niet! Nu wil de oude knecht graag rondgeleid worden op het bedrijf. „Als het tenminste lukken wil om mien weer in dat ding te kriegen . . ."

Nora en Diewertje steunen hem, terwijl Margje de deuren open houdt.

„Klaas, nu kun je mijn kruidentuintje óók meteen zien!" zegt Diewertje verheugd, wetend dat zelfs die kleine dingen door de man gewaardeerd zullen worden.

Ze buigt zich, toch lichtelijk hijgend na de zware inspanning over de man heen. „Weet je wat je moest doen, Klaas, tegen de reuma? Ja, je zult het wel gek vinden, maar èlke ochtend een massage op de zere plekken met verse brandnetels, dàt helpt! Het is een middeleeuws recept, zie!"

Nora schatert het uit. „En dan word ik er zeker elke ochtend op uit gestuurd om voor verse aanvoer te zorgen!"

Ontstemd zegt Diewertje dat het héús waar schijnt, ze voegt er nog een hele lijst aan toe. „Goudsbloem, heggerank, rozemarijn en kamille zijn ook goede middelen. En ook nog boerenwormkruid trouwens!"

Klaas legt kreunend een hand op zijn maag en Nora roept dat „de mus" studeert voor heks.

Diewertje rimpelt haar voorhoofd. Ze houdt er niet van als haar kruidenhobby niet serieus genomen wordt.

Als de ronde om de hof ten einde is, zegt Nora in het vervolg minstens éénmaal per week met Klaas langs te zullen komen.

Klaas wil nog even naar zijn oude huis, dan kan hij Nora zeggen wat ze van zijn spullen houden mag. Verdrietig klinkt zijn stem nu. Zijn dochter stelt tóch geen prijs op de oude dingen van vader, en ruimte om ze op te slaan heeft ze ook al niet.

Hartelijk klinkt Nora's stem nu, terwijl Klaas een bemoedigend drukje op zijn schouder krijgt: „Maar ik wel, hoor. Ik ben zo arm als een kerkrat! Vertel me maar eens wat het allemaal moet kosten, mag ik je ook afbetalen in de vorm van extra wandelingen in mijn vrije tijd?"

Ze duwt de stoel met moeite nu over het slecht onderhouden

pad dat van de hoeve naar Klaas' ex-woninkje leidt. Berustend neemt de oude man het in zich op. Er is een tijd van schoffelen en een tijd van rusten . . .

Die avond gaat Diewertje voor het eerst op visite bij buurvrouw Baank.

Ze heeft voor de passpiegel in de kast naar zich zelf staan kijken en gelijktijdig hardop haar „andere ik" moed ingesproken. Enfin, als het de wil van God is dat ze vrouw Baank bij staat, dan zal ze daarvoor ook de wijsheid krijgen.

Buurvrouw zit in haar benauwde woonkamer. De schoondochter brengt Diewertje naar haar toe. Voor ze de kamerdeur opent, wijst ze veelbetekenend op haar voorhoofd. Diewertje negeert dit gebaar. Het valt ook niet mee om je man te verliezen, jezelf niet meer te kunnen redden en als het er op aan komt blijkt het dat iedereéén je maar liever uit de weg gaat.

„Goeienavond!" Het klinkt gedecideerder dan dat Diewertje zich zelf voelt. Maar onbewust staat de opgewekte Nora voor haar geest en die weet hoe men om gaat met oudere zieken. Nu kan het héle dorp wel kletsen dat vrouw Baank zich aanstelt, ze geeft er toch duidelijk blijk van niet meer voort te kunnen. En de dominee, wel, die komt óók zó maar niet trouw iedere week!

Diewertje gaat onuitgenodigd op een laag stoeltje naast de vrouw zitten, die haar met haar varkensoogjes wantrouwig bekijkt. Toch niet wéér iemand die haar uit de stoel wil praten, behandelt of ze een klein kind is! Wat haat ze dat gefemel van haar schoondochter, het zwijgen van de oudste zoon.

Maar die Diewertje van „De Bruune Hoeve", ach, dat is eigenlijk nog maar een kind in grotemensen kleren. Wat meegaander nu, buigt ze zich naar Diewertje toe. Toen ze nog op het koor was, genoot ze altijd van de lichte sopraan van het meiske, dat vlak voor haar stond. Dat was een bar beste tijd. Dat een mens zoiets nu te laat moet ontdekken! Hoe kan ze iemand ooit uitleggen dat dit de kern van haar depressies is. Plus de grote vrees dat ze net als haar moeder, op latere leeftijd het gezichtsvermogen zal verliezen . . . Als ze nu leest, trillen de letters voor haar ogen, ze dansen op het papier. Die goeie

Hendrik, die haar huilend vond boven de trouwbijbel...
Toen is híj voor haar gaan lezen, op zijn hakkelende manier. Bits rukte ze hem het Boek uit de handen.

En natuurlijk had ze meteen spijt van die handeling, zo is ze ook. Maar om dat te zeggen, of duidelijk te maken...

Diewertje kijkt haar ernstig aan. Wat gaat er toch òm in dat grijzende hoofd van buurvrouw? Ze ziet er vreselijk uit, vindt ze. Als het háár moeder was, of schóónmoe, dan zou ze dat niet willen hebben. De vlecht is los geraakt en piekt op de rug. Een grauwkleurige doek hangt als een vaatdoek om haar schouders. En Diewertje, met haar gevoelige aard, ervaart de geestelijke verwaarlozing waar de vrouw aan lijdt. Ze weet ook dat in dit huis de mensen moeilijk omgaan met hun woorden, niet gemakkelijk tot uitdrukking kunnen brengen wat er in hen omgaat en zodoende de ànder niet betrekken in hun emoties.

Op zulke momenten moet Diewertje denken aan haar ouders die ze nooit heeft gekend. Een vader die zeeman was en bij ruw weer overboord geslagen. Een moeder, op dat moment zwanger van háár, is het verdriet nooit te boven gekomen, zo is haar verteld. Kort na haar geboorte werd ze wees en behalve de geëmigreerde familie staat ze heel alleen op de wereld. Eigenlijk denkt ze nooit aan de onbekende ouders en de portretten die ze van hen heeft zeggen haar niets. De Australische tante die haar als klein kind niet bij zich wilde nemen, voor háár en die familie ginds kan ze niet veel liefde opbrengen.

Medelijdend legt ze haar ruwige hand op de knokige vingers van buurvrouw, die friemelen aan de franje van de omslagdoek. „Ik ben gekomen, buurvrouw Baank, om u wat gezelschap te houden. Normaal gesproken zou Margje wel gekomen zijn, maar ze voelt zich zo móe, weet u. We ontzien haar allen zoveel mogelijk. En ik hoorde van Hendrik dat u zo graag wilde dat iemand u voorlas uit de Bijbel en dat vind ik nu juist zo fijn om te doen! Komt dat even goed uit! Ik kan héél goed lezen, al zeg ik het zelf! Een goeie buur is beter dan een verre vriend!"

Nu speelt er warempel een klein lachje op het verdrietige gezicht.

En, als wordt ze opeens wakker, zegt ze: „Ach, deern, jij hebt óók niet veel in het leven gehad, wel? Altijd in een tehuis en geen ouders . . . Ja, je hebt veel gemist, kind. Maar je hebt ze niet gekend, en dat scheelt, dunkt me. Ach, als ik mijn man nog maar een poosje had mogen houden!”

Wat een lange zin.

Praten, dat kan medicijn zijn, weet Diewertje uit ervaring. Maar luisteren met hart en ziel, wie neemt daar tegenwoordig nog de moeite voor!

Resoluut pakt ze de Bijbel van een hoog bloementafeltje, waarop een gehaakt kleed ligt.

Diewertje voelt aan het gehaakte werkje en uit haar bewondering. Op droevige toon verklaart buurvrouw dat ze zulk werk wel nooit meer zal kunnen . . . haar ogen zouden veel te veel te lijden hebben. Diewertje gaat er wijselijk niet op in en neemt zich voor Hendrik bij gelegenheid te vragen naar de toestand van zijn moeders ogen.

„Wat wilt u graag horen, buurvrouw, zal ik zelf maar wat kiezen?”

Achterover geleund, met de ogen gesloten luistert ze naar de jonge stem die de overbekende woorden uitspreekt. Geluidloos prevelt ze mee.

. . . Ik hef mijn ogen op naar de bergen:
vanwaar mijn hulp komen zal.
Mijn hulp is van de Here,
Die hemel en aarde gemaakt heeft.

De laatste woorden zegt buurvrouw Baank hardop: van nu aan tot in eeuwigheid.

Zonder geluid te maken is Hendrik binnen gekomen. Hij kijkt van Diewertje naar zijn moe. Diewertje fronst haar wenkbrauwen. O néé, Hendrik, zet die gedachten maar snel uit je hoofd, seinen haar ogen.

Diewertje legt de Bijbel op z’n plaats en babbelt over het onverwachte bezoek van Klaas. Zo jammer dat hij niet best meer voort kan. Gelukkig heeft hij zich geschikt in het onvermijdelijke. Buurvrouw, die dit als een advies aan haar eigen adres ziet, een soort terechtwijzing, trekt de omslagdoek in een zelfbeschermend gebaar strakker om zich heen.

Diewertje vindt het welletjes voor een eerste keer.

„Ik kom gauw weer eens terug, buurvrouw. En dan gaan we samen een stukje wandelen, hè? U moet niet zo binnen blijven zitten. Dat zou uw man heel verdrietig vinden, dat weet ik zeker!"

Hendrik houdt van schrik zijn adem in. Over vader spreken is het domste wat Diewertje kan doen.

Maar buurvrouw krijgt een zachte trek op haar gezicht en stilletjes drukt ze Diewertjes hand.

Hendrik wil haar weg brengen, maar Diewertje is hem te vlug af. Ze heeft haar vrijheid nog te lief!

Er is er maar één voor wie ze die op wil geven, en dat is niet Hendrik Baank!

HOOFDSTUK 7

Margje is ontevreden . . . na haar laatste bezoek aan dokter Huisman is te hoge bloeddruk geconstateerd, wat inhoudt dat ze zoutloos moet eten en méér rusten. Huisman dreigde de jonge boerin met het ziekenhuis; als ze niet stipt zijn orders op zal volgen is dat het alternatief.

Diewertje vergezelt haar altijd bij de bezoeken en wacht in de auto vol spanning op haar terugkomst. Wat zal ze blij zijn wanneer zíj Margje kan rijden, maar zover is het nog niet, aan tien lessen heeft ze helaas niet genoeg!

Maar bij de thuiskomst, als ze behulpzaam Margje uit de wagen heeft geholpen en Christiaan er aangebeend komt, verdwijnt Diewertje stilletjes. Ze weet precies wanneer ze overbodig is . . .

Overbodig en onbelangrijk, zo voelt Diewertje zich als ze van Meinte een souvenir uit Engeland krijgt, dat hij meebracht na zijn vakantie.

Het is een fotoboek over het leven van de mus en vóórin heeft hij een Engels spreekwoord geschreven:

Sparrows can't sing. Mussen kunnen niet zingen! Met pijn in

haar hart verstopt ze het boekje.

Meinte is in zijn sas met zijn nieuwe onderkomen, de caravan van de veearts, die in de hof van „De Bruune Hoeve" staat. Hij houdt niet van de sfeer in en om het tehuis waar zijn moeder met zoveel liefde werkt.

Bovendien is hij nu al zolang zelfstandig en dankzij de caravan kan hij hier op zichzelf wonen.

Nora is een geregelde bezoekster, sámen met Klaas of alleen, geworden. En voor haar schijnt Meinte altijd wel even een ogenblik vrij te kunnen maken.

Maar Diewertje is de énige die weet dat de boerin haar gasten met een imitatie vrolijkheid ontvangt. Diewertje is het die weet hoe Margje kan tobben over het nog onvolgroeide lichaampje dat trappelt in haar buik.

En Diewertje is het die stilletjes naar Mikke Mooi gaat, de naaister met haar kreupele gestalte die zo dicht bij haar Heer leeft. Of Mikke eens bij Marg wil komen praten? Ze begrijpen elkaar zo goed, immers?

Ook voor Christiaan verbergt Margje haar zorgen, hij heeft het toch al zo druk. Wat een geluk dat Meinte zijn handen hier zo flink uit de mouwen weet te steken en voor een geringe vergoeding bergen werk verzet.

Ze zullen hem missen als de tijd daar is dat hij met Hijma in zee gaat! Ja, in huis en hof is te merken dat hij er is, vindt Margje dankbaar. Dankbaar . . . als je de dingen maar zíet waar je dankbaar voor kunt zijn!

Margje zegt glimlachend tegen Diewertje, terwijl ze samen in de zon op de bank voor het huis zitten om de bonen van moeder Anne af te halen: „Die Meinte is net een vergroting van een kleuter, moet je hem zien! In een overal van Christiaan, die hem te krap zit! Terwijl Christiaan toch bepaald geen tenger kereltje is. Hij sjokt op laarzen die altijd onder de modder schijnen te zitten. En dan dat krullige haar!"

Diewertje knikt maar eens en buigt zich eens diep over de bonen. Die moeder Anne toch altijd met die groente . . . Laatst vertelde ze dat ze wel zin had om zelf weer eens zuurkool in te maken. Witte kool raspen, yoghurt erbij; niets zo lekker als eigengemaakte zuurkool uit het vat. Diewertje griezelt.

Al dat extra werk, je kunt het net zo goed kopen, tegenwoordig. Maar Margjes vader krummelt nog zo graag in zijn groententuintje, dat teveel oplevert voor die twee mensen.

Margje schuift de bonenmand van zich af. „Ik heb geen zin meer . . . kan geen boon meer zien, Diewer. Zullen we de rest maar schenken aan 'Dalenk'?"

Dat is een idee. Ze kijken elkaar samenzweerderig aan. „De diepvries is toch bijna vol!", verklaart Diewertje.

„Moeder Anne wilde ons ook nog een half varken aanpraten, rechtstreeks van de slachterij, en zó goedkoop!"

Margje weet best dat de tijden veranderd zijn. Een boerderij, zoals die van hen, is op moderne manier ingericht. Een loopstal vereenvoudigt het werk. Verkaveling heeft gezorgd voor aanéén gesloten land. Bovendien is veel werk geautomatiseerd. Als dat niet het geval was, zou Christiaan het werk niet alleen af kunnen. Vroeger hadden ze niet alleen Klaas, maar af en toe in het hoogseizoen óók nog wel eens een los arbeider om te helpen met hooien en oogsten.

Diewertje wijst naar de weg. Nora komt kwiek aangestapt, de rolstoel met Klaas erin voortduwend met een gemak alsof het een wandelwagentje met een baby is. Ze wuift, met de slappe hand van Klaas in de hare.

„Die kan mooi helpen afhalen!" bedisselt Margje. „Trouwens, ik wilde je steeds al vragen, Diewertje, je had vanochtend een brief van je tante. Schreef ze nog wat bijzonders?"

Er komt een onwillig trekje om Diewertjes mond, dat haar opeens ouder doet lijken.

„Mm . . . ze wil dit jaar Europa doen, met haar man. Dat klinkt, nietwaar? Europa doen!! En dan ook eventjes hier aanwippen, schrijft ze."

Onderzoekend kijkt Margje haar hulp aan. Nou, en?

„Ze doet maar, na al die tijd! Nu hóeft het van mij niet meer!" Dat laatste klinkt on-Diewertjes-achtig, ja, hartstochtelijk zelfs.

Een verder gesprek is onmogelijk over dit onderwerp. Nora houdt halt voor de bank en ze vormt met haar stralend uiterlijk een schrille tegenstelling met de bleke man in het wagentje.

In plaats van een groet zegt Klaas: „Bónen . . .!"

Nora kijkt niet vreemd op van zo'n grote hoeveelheid groente. Ze is dat in „Zonneheuvel" wel gewend. Daar wordt niet alleen voor de bewoners van het huis gekookt, maar ook voor hulpbehoevende dorpelingen. Deze kunnen een abonnement op de gaarkeuken nemen. Vrijwilligers brengen stipt op tijd de ingepakte schalen voedsel naar de juiste adressen.

Maar aan helpen afhalen heeft Nora geen lust. „Vreemd", denkt Diewertje, „Nora kan zo charmant iets weigeren, dat het niet in je op komt het haar kwalijk te nemen."

Klaas krijgt een schaduwplekje, waar hij heerlijk om zich heen kan zien.

Margje moet als steeds wat wegslikken als ze de aftakeling in dat lichaam ziet. Is dat het leven? En ìn haar groeit een kind, dat nog beginnen moet aan de strijd. Of: ìs het er al mee begonnen?

Nora babbelt opgewekt over kleine gebeurtenisjes, weigert een koele dronk en wil éérst even naar „onze" woning! Met een knipoog naar Klaas, die glundert.

Meinte dendert met de trekker langs de schuur en stopt vlak bij de heg.

Lenig springt hij op het welige gras, dat nodig gemaaid moet. Hij zwaait naar het groepje voor het huis en koerst dan richting Nora, die hij zó in heeft gehaald. Speels slaat hij een arm om haar schouders. Ze kunnen hen op afstand horen lachen.

„Stop ermee, Diewertje, bel Janna maar voor me op, wil je? Ik kan geen boon meer zien!"

Janna wil graag de bonen hebben. Maar tijd om te halen heeft ze nog niet één twee drie.

„Zal ik ze brengen?" stelt Diewertje Margje voor. „Samen met Klaas, hij kan die mand best op de knieën houden, niet, Klaas?"

Jawel, deerntje, dat kan Klaas wel. „En dan kun je nog eens fijn kletsen met de tuinman . . . hoef je ook niet naar de 'Ouwemannetjes-praot-stoel' ", gniffelt Diewertje.

Weg, éven weg van Nora, de lach van Meinte en die pijn van

binnen. Maar die laatste, die pijn, gaat mee, ook op de wandeling.

„Heerlijk buiten, hè Klaas, fijner dan in de stad hè?", zucht Diewertje.

Die wagen is toch zwaarder dan ze dacht, maar dat laat ze niet aan Klaas merken. Ze wijst hem op de verschillende kruiden, die maar zo langs de kant van de weg groeien.

„Ik word bang!" protesteert Klaas. „Deerntje, ie begint toch niet weer mien te plaogen met die brandnetels, hè?"

Nu lacht Diewertje uit volle borst.

Er fietsen een paar zeer luchtig geklede tieners hen voorbij. Ze hebben kleine draagbare radiootjes bij zich, waar de popmuziek uitschalt.

„Dat nuumt ze meziek!" Klaas fronst zijn hele gezicht. Uit ieder rimpeltje spreekt verontwaardiging.

„Weten die blagen wel wat zing'n is! Vroeger leerde de schooljuf ons èchte versjes. 'Holland ze zeggen, je bent maar zo klein'!"

De stem van Klaas klinkt in het geheel niet beverig, schijnt te horen bij een ander lichaam.

„Dat is uit 'Kun je zingen, zing dan mee!', Klaas!", weet Diewertje.

„Nee tegenwoordig zingen ze andere liedjes, op de radio hoor je vaak protestversjes, tegen discriminatie, het dragen van een bontjas of eh . . . nou ja, van alles. Bijvoorbeeld over verzet tegen ouders, maar op de scholen leren ze heel leuke liedjes, hoor. Ik ken die liederen nog wel. Op 'Dennenheuvel' was vroeger een leidster die zong met ons aan de vleugel van alles en nog wat!"

Of Diewertje dan ook dat versje kent van: Als de winter vlucht voor de lentelucht . . .

Klaas zou het graag twee- of driestemmig voor doen. Hij heeft het op de knapenvereniging namelijk gezongen.

De heldere stem van Diewertje zingt het, vlak bij zijn oor. Behalve dat geluid, is er niets op de landweg te horen. In de verte gonst het verkeer langs het kanaal. De vogels zijn te lui om te kwetteren, die wachten de avondkoelte af.

Diewertje zingt uit volle borst. Klaas luistert met een scheef gehouden hoofd, de ogen gesloten.

,,...Wees gegroet, wees gegroet volschone lentetijd!"

Wie zei dat mussen niet konden zingen... Nora noemt dat deerntje een mus. De Mus, alsof het een eigennaam is! Nee, dat kan hij niet zetten. Opgewekt zet Klaas ,,Op de grote stille heide" in. Lied na lied zingen ze, tot ze de bewoonde wereld, ,,Huize Dalenk" naderen.

Buiten adem houdt Diewertje onder de koelte van de brede beuken even stil.

,,Dat moesten we eens vaker doen, hè Klaas? Zingen is goed voor de mens!"

Prompt reageert hij: ,,Waar der beuken brede kronen..."

Diewertje tilt de bonenmand van zijn schoot en wenkt twee kinderen, die overduidelijk klaar staan om naar het zwembad te gaan.

,,Breng dat maar eens voor me naar juffrouw Gezien in de keuken!" commandeert ze de meisjes, die haar wel kennen.

,,Zo, Klaas, we zullen de tuinman eens opzoeken, die zal wel een dutje doen achter de schuur... en ik, wel, als ik het rijbewijs eenmaal heb, zullen we uitstapjes maken naar plaatsen waar je jaren niet geweest bent!"

Diewertje, ze voelt zich tevredener dan aan het begin van de wandeling.

HOOFDSTUK 8

Terwijl Klaas en de tuinman van ,,Dalenk" genieten van hun sigaartje en de laatste nieuwtjes, gaat Diewertje op zoek naar Janna Boele.

Het is stil in het huis. Veel kinderen zijn op vakantie en de oudste groep is in het kader van een uitwisselingsproject, naar een tehuis in Friesland, waar ze een zeilcursus volgen, onder leiding van de huispsycholoog, Thomas Rinzema.

Janna zit in haar geliefde serre met een kaartsysteem op schoot. Ze zet haar leesbril op de punt van de neus om te zien wie er binnenkomt.

„Diewertje, een zéér welkom toegewenst, kind. Hoe is het op 'De Bruune Hoeve'?"

Ze schuift haar werk aan de kant en noodt Diewertje te gaan zitten.

Het meisje veegt de vochtige slierten haar uit haar gezicht. Oef, ze is toch wel erg warm geworden!

Janna kijkt haar vertederd aan. Als haar moeder haar eens zo had kunnen zien, blakend van energie en ... levenslust!

Snel duwt ze die hinderlijke herinneringen van zich af. „Zin in ijslimonade, recept van het huis?"

Ja ja, dat gaat er wel in met de warmte.

Dan moet Diewertje vertellen hoe het met Margje gaat. „Er is een interessante lezing, volgende week in het dorpshuis. Misschien wil Marg wel mee. Het gaat over de nieuwste ontdekkingen over het leven van het ongeboren kind. De spreker had eerder in het jaar zullen komen voor de vrouwenvereniging. Maar toen kwam er wat tussen. Jammer, want nu zijn er al veel met vakantie en zal het zaaltje niet vol zitten. Toch is het zo'n belangrijk onderwerp. Ik geloof dat ik het op een bandje laat opnemen. Vraag je of Margje meegaat?"

Ze worden gestoord door een huilend meisje dat snikkend vertelt ruzie te hebben gekregen met haar leidster, die nog in de tuin bij de schommels is.

Janna trekt het hysterisch huilend ding tegen haar brede boezem en streelt moederlijk de verwarde krullen. Diewertjes ogen worden zacht. Hoe vaak heeft zij zelf op dat plekje troost mogen ontvangen?

Over het hoofdje heen zucht Janna dat ze te weinig hulp heeft. Vakanties gooien roet in het eten voor degenen die geen adres hebben om heen te gaan!

De laatste week van de schoolvakanties gaan ze met z'n allen een dag of vijf kamperen, maar zo ver is het nog niet.

„Ik zou u best eens willen helpen!" oppert Diewertje en Janna schiet in de lach. Verveelt Diewertje zich zo?

Maar Diewertje meent het serieus.

Ze heeft haar talent met gekneusde zielen om te gaan, pas ontdekt!

Daar is buurvrouw Baank, Klaas ... en zij weet beter dan wie ook wat het is om verdriet te hebben als kind. Al is de leiding nog zo goed, je mist de persoonlijke relatie met een ander. Later, als je volwassen bent, is daar altijd het twijfelspook dat schijnt te sarren: jij? Je bent tot geen relaties in staat...

Al is buurvrouw Baank in geestelijke nood, Klaas hulpbehoevend, zij heeft bewezen wel degelijk iets te kunnen betekenen voor een ander. Juist voor die ander.

Meinte, Nora, ach, die zien haar niet voor vol aan. Voor hen zal ze altijd de Mus blijven. Maar voor die kindertjes hier! Haar lichtblauwe ogen glanzen opeens. Net, denkt Janna, of ze bij een Kerstboom staat, zoals vroeger. De kloosterblik is ver weg nu.

Misschien is het idee nog zo raar niet. Nadenkend trekt ze het kleine meisje, dat nu getroost, sabbelend op haar duim, Diewertje nieuwsgierig aan kijkt, dichter tegen zich aan.

„Zeg, zou jij in het najaar willen helpen met een kinderkoortje? Voor huiselijk gebruik, feesten en zo, weet je wel? Nu doet Thomas dat, maar hij heeft een baan gekregen op 'Zonneheuvel'. Het werken met kinderen was voor hem maar een aanloopje. Jammer, hij deed het geweldig. Zou jij daar zin in hebben, Diewertje?"

„Kan ik dat dan, mevrouw Boele?" aarzelt Diewertje. Kinderen liedjes aanleren, ze heeft het nooit gedaan. Maar Janna zegt dat Thomas Rinzema haar wel wegwijs kan maken.

„Kleine kinderen, dat durf ik wel, maar niet de groteren, hoor!", bedingt ze. De tuindeuren staan wijd open.

„Zo, daar zijn we dan!"

De tuinman, Klaas voor zich uit duwend in zijn wagentje, houdt halt bij de drempel... Hij tikt aan zijn denkbeeldige pet. Het kind glijdt van Janna's schoot en vraagt vrijmoedig of het een keertje bij die opa in dat leuke kinderwagentje mag.

Oh, Klaas vindt dat best en een vrolijk gejubel is zijn loon. De tuinman schudt medelijdend zijn hoofd. Nee, die oude makker van hem benijdt hij nu niet bepaald.

Het hoofd vol nieuwe gedachten heeft Diewertje, nu ze terugwandelt en Klaas merkt op dat het zonder de bonen toch wèl „effetjes" gemakkelijker rijdt.

Nora ligt languit op het gras te genieten van de zon. Ongestoord.

Haar patiënt is immers gevlogen? Af en toe tilt ze haar hoofd op om met toegeknepen ogen de man te volgen, die bij de schuren bezig is. Meinte. Ze heeft de glans in zijn begerige ogen wel herkend! Wat een bevredigende gedachte dat hij haar nú wel ziet! Toen ze een meisje was, zag hij haar als één van de vele verliefde tieners!

Maar de gedachtenreeks: verliefd, verloofd, getrouwd, benauwd haar vooreerst nog. In de eerste twee kan ze wel zichzelf terug vinden, maar dat laatste . . . getrouwd zijn, dat benauwd haar.

Wat heeft ze ook meegemaakt, gezíen van anderen! De ontrouw van haar pleegvader, die haar doodzieke moeder bedroog.

Liefde, o ja, daartoe is ze best in staat. Maar zo trouw als bijvoorbeeld Margje is, of die mus, Diewertje, zo zal zij nooit kunnen leven. Nóg niet tenminste.

Heerlijk dat ze er een paar weken tussen uit gaat! Met drie collegaatjes vertrekt ze over een paar dagen naar Zwitserland, wèg van de aantrekkingskracht van Meinte en ook weg van de pijn en het leed dat haar patiënten soms zo doet lijden.

„Nora, die is hard als staal, gemakkelijk toch!" zo praat men over haar en ach, ze laat het maar zo.

Ze rolt zich op haar rug, genietend van haar rust.

„Hé! Luilak, laat jij een ander voor je patiënten zorgen?" Dat is Diewertje, goeie, trouwe mus. „Joh, jij draait de zaak om, jij kidnapt mijn patiënt!"

Ze veert overeind en deelt genoegelijk aan Diewertje mee dat die haar taak om met Klaas uit rijden te gaan, tijdelijk in verband met haar vakantie, mag overnemen.

Musje, geen plagende scherts meer, maar bíjna een eigennaam!

Christiaan komt langs hen heen en Klaas knipoogt: „Melkenstied, niet?"

Ach, hij kent het ritme van de hoeve; wat olie is voor een machine is ritme en regelmaat voor een bedrijf.

Diezelfde dag bekent Margje haar nood aan de zorgzame Diewertje, als deze haar werkgeefster huilend aantreft in de babykamer. „Niets aan Christiaan vertellen!", smeekt de boerin. „Diewer, ik ben toch zo bang dat het niet goed gaat met mijn kind en ik kan ook biddend geen vrede vinden!" klaagt ze. Diewertje troost haar, laat haar schreien en beseft dat Margje een soort zuster voor haar is. Kom, dokter Huisman is toch bekwaam, hij heeft al rijen kindertjes geboren helpen worden en: is Margje vergeten dat God het kindje al zag vóór zij zelf wist zwanger te zijn?

Het praten lucht op. Diewertje, een mus? Ach, zeg maar liever vriendin, denkt Margje.

„Diewertje, jij moet in mijn plaats naar een lezing gaan over het ongeboren kind, ga jij met Janna mee in mijn plaats, toe?"

Zo komt het dat Diewertje in gezelschap van mevrouw Boele naar de lezing gaat, die tamelijk veel belangstellenden trekt.

„Weet je", fluistert Janna, de spreker leunt al met beide handen op het tafeltje vóór hem, heeft gekucht en kijkt nu als een onderwijzer zijn klas, het zaaltje rond. „Weet je, er zijn zo vaak problemen met kinderen die terug te voeren zijn tot de bevalling, soms ervóór! Dat kan verklarend werken voor het gedrag!"

Dan vouwt ze haar armen over haar zware boezem en heft het hoofd op om te luisteren.

Diewertje heeft papier en potlood op schoot. Als ze het niet allemaal kan onthouden kan ze er gebruik van maken.

De spreker vertelt van een Amerikaans, natuurlijk Amerikaans, onderzoek door een werkgroep gedaan.

Een ongeboren kind vertoeft niet in een doodstille ruimte van rust! Het hoort het gebonk van het hart, het rommelen van de ingewanden van de moeder. De regelmatige hartslag van moeder schijnt kalmerend op het kind te werken! Een soort sein dat op groen staat. Maar, óók geluiden van buitenaf kunnen tot het kind doordringen!

Janna kan een gegrinnik niet onderdrukken als ze hoort dat men zelfs beweert dat Mozart en Vivaldi de favoriete componisten zijn van het ongeboren kind.

„De aanstaande ouders moeten er toe komen te gaan zingen

voor hun ongeboren kind!", zegt de spreker. „En wees gewaarschuwd: alle vormen van rockmuziek brengen het kind in verwarring! Het leren kennen van de stem van de ouders is een vorm van knuffelen met tonen."

Diewertje vindt het jammer dat Margje er nu niet bij is. Er worden dia's vertoond om één en ander duidelijk te maken.

„Het kind, dat warmte en veiligheid behoeft, kan daar in de baarmoeder al een begin mee maken. Maar: ook kan er de kiem gelegd worden voor een levenslange angst! Kinderen die geboren worden uit ongelukkige huwelijken hebben een vijfmaal grotere kans om bang en schrikachtig te zijn. Tot ver in hun jeugd kúnnen ze geplaagd worden door problemen. Die kúnnen ontstaan zijn in de moederschoot . . ."

Janna blijft knikken, aandachtig luisterend.

Diewertje vraagt zich af waar Janna nu aan denkt en plotseling ontwaakt er een nieuwsgierigheid naar de eigen herkomst. Vreemd, ze heeft een vader en een moeder gehad, die ze nooit heeft gekend. Maar die moeder heeft haar in elk geval negen maanden gedragen. Ze weet opeens heel zeker dat ze, onbewust, iedere gedachte aan haar ouders heeft weggeduwd. Immers, het weten van de dingen kan een ware ontnuchtering wezen, beseft ze helder. Ze werpt een blik op de geconcentreerd luisterende vrouw naast haar. Wat weet Janna van haar herkomst, wat staat er in de papieren?

De spreker gaat nog dieper op de onderzochte gegevens in, maar Diewertje is de draad kwijt.

Ze kan het gebodene niet tegelijk verwerken. Janna moet Margje maar verslag uitbrengen, bedenkt Diewertje en vouwt het lege blaadje op.

„De binding die de moeder met haar kind aangaat, is nooit éénzijdig! Maar: als de moeder zich afsluit, emotioneel gesproken, dan is het kindje niet in de gelegenheid, niet in staat zelfs, een contact tot stand te brengen! Denkt u zich eens in hoe zeer het kleine leven zich van streek zal maken en uiteindelijk zelf tot een afsluiting zal komen!"

Het is heel stil in het zaaltje als de man uitgesproken is.

Dan branden de vragen los. Er is een korte koffiepauze en nu maakt Janna enkele notities.

Ze wil méér lezen over dit onderwerp.
Wat Diewertje het meest bijgebleven is, dat ze Margje moet vertellen dat de liefde en de tederheid vóór de geboorte een aanvang moet nemen, wil het kind de grootste kans om gelukkig te zijn, krijgen.
Het verlangen naar een eigen gezin, ja, een zwangerschap, komt met kracht in Diewertje boven. En de vraag: wie waren mijn ouders eigenlijk? Zou ik van ze gehouden hebben en ze gerespecteerd hebben?
Maar voor ze die gedachten tot uiting durft te brengen, moet ze ze eerst in haar binnenkamer verwerken.
„Kom eens uit je kloostertje, meisje!", zegt Janna naast haar. De spreker verdwijnt en de mensen om hen heen maken eveneens aanstalten om te vertrekken.
Met een schok ploft Diewertje terug in de werkelijkheid. Kloostertje, men heeft wel een aardig beeld van haar: een Mus uit een klooster! Wel, daar kan ze het dan voorlopig wel mee doen.

HOOFDSTUK 9

De zomermaanden zijn, zoals gewoonlijk, een drukke tijd op de boerderij. Het gemaaide gras wordt ingekuild. Er is overvloed deze keer.
Eén stuk landgrond is bebouwd met aardappels, een nieuw soort. Maar Christiaan vreest dat kleigrond geschikter is voor dit gewas, de oogst zou wel eens tegen kunnen vallen.
Meinte maakt zich verdienstelijk door de bijgebouwen aan een grondige inspectie te onderwerpen. Hij timmert, verft en teert. Zijn handen zijn bij tijden net een palet.
Af en toe gaat hij met de dierenarts, Hijma, op stap. Ze kunnen uitstekend samen overweg, wat voor de naaste toekomst dan ook noodzakelijk is.
Hijma heeft hem voorgesteld de caravan van 't winter bij zijn huis te zetten, dan kan Meinte daar tijdelijk zijn intrek nemen zo gauw hij helemaal klaar is. Binnenkort komt het buurhuis

vrij, dat wil Hijma aankopen. Beneden zal dan de gezamenlijke praktijkruimte komen en Meinte kan boven wonen. Indien Meinte te zijner tijd in de huwelijksboot wil stappen, kan hij het huis verbouwen tot een grotere woning. Voorlopig echter zullen ze het er best mee kunnen doen. Zijn eigen praktijkruimte wil Hijma geschikt maken voor het onderbrengen van de zogenaamde „kleine dieren", die intense verzorging behoeven. Een soort dierenhospitaal. De tuin van het buurhuis is groot, er is een geschikt weitje voor herstellende grotere beesten. Nu brengt hij de zwakke en herstellende dieren naar de vader van Margje, Gerrit Wickes die met zorg en liefde de eindbehandeling op zich neemt.

Al met al: Meinte heeft reden te over zich op de naaste toekomst te verheugen.

Hij telt de dagen af die Nora op vakantie is!

Diewertje heeft Nora's taak ten opzichte van de uitstapjes met Klaas, òp zich genomen. Af en toe „parkeert" ze hem in het park, bij de bank waar altijd wel een praatgrage dorpsbewoner zit.

Maar meestal is „Dalenk" het doel van hun tochten. Of het kanaal, want Klaas kan wel minuten lang zwijgend naar het water staren, naar het leven tussen de rietstengels. Jonge eendjes die op een koddige manier achter moeder aan spartelen. Diewertje heeft hem al eens voorgesteld een vishengel te kopen . . .

En 's avonds, als ze aan het wieden is in haar geliefde kruidentuin, is ze zich aldoor bewust van de aanwezigheid van Meinte, èrgens op het erf.

Ze tracht zich af te harden en het „hallo, Mus!" te zien als een voorbijgaand grapje. Net als het „Wiebertje" van weleer.

Vaak komt Hendrik vragen of ze nog éventjes bij moe wil komen zitten. Ze is weer zo somber. En als Diewertje er is geweest, gaat ze bepaald kalm naar bed en slaapt de hele nacht rustig.

Diewertje maakt gebruik van haar Bijbels Dagboekje om er de buurvrouw gedeelten uit voor te lezen. Een richtlijn heeft ze dan voor de stukjes die dan uit de Bijbel aan de beurt zijn. Soms komt Hendrik er heel stil bij zitten. Hij kijkt met een verlangende blik Diewertje aan. En elke week minstens één keer stelt hij dezelfde vraag. Of ze zich nog niet bedacht heeft...

Toen hij meende dat het met Marg wel wat kon worden, wel daar moet Diewertje niet aan denken. Ieder mens kan zich per slot van rekening vergissen.

„Je vergist je nu wéér, beste Hendrik!", moppert Diewertje dan goedmoedig. Dat staat de jonge boer slecht aan. Dacht ze soms dat hij niet weet dat ze hem in het dorp „brave" Hendrik noemen? Ach er wordt om hem gelachen. Hij zou een moederskind zijn. Geen vent. Maar dat Diewertje zo over hem zou denken, dat doet hem pijn. Ze zanikt over liefde en zo. Ach, wat is nu toch liefde? Als je maar met elkaar kunt opschieten, dan is het hem genoeg. En een leven zonder vrouw lijkt hem eenzaam. Want, en dat is een troef die hij nog vóór zich houdt: zijn schoonzus heeft plannen om met een broer van haar een veevoederfabriekje van een oom in Groningen over te nemen. Dat betekent dat zijn broer en zij hier wegtrekken. Schoonzus heeft dan haar zin: ze kan nu eenmaal niet overweg met de lastige buien van moe!

En: de boerderij komt op zijn naam te staan. Dat is al besloten, alleen moe weet nog van niets.

Als Diewertje dán nog niet door de knieën zal gaan, weet hij het niet meer! Een eigen bedrijf, net als Margje van „De Bruune Hoeve". Zelf boerin zijn, een gezin! Ja, hij kan wachten. Zijn tijd komt nog wel...

En ondertussen luistert hij naar de lichte stem, die leest: „Eén ding weet ik, dat ik, die blind was, nu zien kan."

„Dat staat in Johannes, buurvrouw. En in mijn boekje schrijven ze daarover: 'Eén ding weet ik, dat is de taal van de zekerheid. Nu ziende, éérst blind. Duisternis! En dan geroepen tot Gods licht, een wonderbaar licht. Weet u dat óók? Het is zo belangrijk. Een rijkdom als je het zeggen kunt: Ik weet dat mijn Verlosser leeft'!"

Het wordt nu stil in de kamer. Dan zegt buurvrouw: „Vroeger zongen we daarvan op het koor, weet je dat nog, Hendrik?" En dan warempel, buurvrouw zingt!

„Ik weet, dat mijn verlosser leeft, Hij leeft Die voor mij

stierf!"

Diewertje springen de tranen in de ogen. Wat komt het er op aan dat Meinte van Nora houdt, dat zíj een weeskind is, en slechts geboren lijkt om toe te zien hoe gelukkig een ander is...

Wat er echt op aan komt, dat weet ze. En zacht zingt ze mee met buurvrouw: Ik weet dat mijn Verlosser leeft...

Het kinderclubje van Diewertje is bepaald een succes. Tien tot twaalf meisjes staan haar trouw 's zaterdagmiddags aan de poort van „Dalenk" op te wachten. Soms in gezelschap van enkele jongetjes, die éérst de kat uit de boom gekeken hebben. Janna noemt het „Diewertjes verborgen talent", daarmee bedoelende de wijze waarop ze met de kinderen weet om te springen. Na de grote vakantie, als het huis weer vol is, zal Diewertjes groepje uitgebreid worden. Janna stelde haar voor dan met een zangkoortje te beginnen.

Als Nora, gebruind en het haar zilverblond geverfd terugkomt, verklaart ze Diewertje voor stapeldol. Om met zo'n troep kinderen tijdens je vrije middag op te trekken, waar begint ze aan!

Nora ziet er geweldig uit. De vakantie heeft haar goed gedaan! Het lichtblauwe japonnetje, afgezet met echte Zwitserse kant, staat haar beeldig vindt iedereen.

Het is net of ze met haar nonchalant uitgesproken kritiek op Diewertjes bezigheden iets, dat eerst waardevol leek, terugbrengt tot een nutteloos tijdverdrijf. Nora is ieder vrij momentje te vinden in het huisje van Klaas, dat ze grondig schoonmaakt. Gehuld in Margjes overall hanteert ze de verfkwast of het haar dagelijks werk is. Vaak brengt ze Klaas mee, die hele gesprekken voert met Christiaan. Wat zou hij graag iets terug hebben van de oude energie. Tot voor kort wist hij niet wat het betekende om afhankelijk te zijn van anderen, keek ook vreemd aan tegen hulpbehoevenden. Het schijnt dat de mens de dingen eerst zelf moet ervaren!

De schoonmaakwoede van Nora is een kolfje naar Meintes hand. Hij grijpt iedere gelegenheid aan om in haar nabijheid te zijn. Diewertje, die wat van haar kruiden aan het drogen is, ziet het aan met een doffe berusting.

Sommige gewassen droogt ze in de zon, bijvoorbeeld de wortels van de planten, die eerst grondig gereinigd zijn. De oude hooiberg is geschikt voor de bladeren en bloemen. Het is er droog en de tocht heeft daar vrij spel.

Ondanks Margjes toestand, is er toch een logé op „De Bruune Hoeve". Een vaste klant, Gerrit, een zoon van Margjes zuster. Een vakantie is voor hem geen echte vakantie als hij niet een week in het ouderlijk huis van zijn moeder is geweest.

Hij schikt zich meteen weer in het ritme van het huishouden, loopt niemand in de weg en maakt zich zelf al verdienstelijk. Er zit méér boerenbloed in hem dan in zijn ooms en moeder, zegt Margje vaak, die erg op de jongen gesteld is.

„Diewertje", zegt hij op een avond als het meisje op haar hurken tussen de kruiden zit: „Ik denk dat Meinte met Nora gáát . . . ik ben naar Klaas' huis geweest en keek door het raam. Weet je wat ik zag!"

Hij houdt even stil als wil hij de spanning er in houden. Diewertje knikt. Raden kan ze het!

„Ze kusten elkaar! Net als in een film jôh!"

Diewertje wil hem berispen om zijn gegluur. Maar de woorden blijven in haar keel steken.

Gerrit praat nog door, met zijn af en toe overslaande stem. Maar Diewertje luistert niet. Ze valt hem dan ook pardoes in de rede. „Ga je met me mee naar buurvrouw Baank? Dan zal ik Hendrik vragen of jij op het paard mag, dat wou je toch zo graag?"

„Als ik maar niet mee naar binnen hoef!", bedingt de jongen en Diewertje glimlacht.

Diewertje laat maar zo haar kruiden in de steek. Ze wast haar handen onder de pomp die buiten staat. Een herinnering aan vroeger, toen er nog geen waterleiding op „De Bruune Hoeve" was. Het is niet alleen een decoratief geval, maar nog functioneel ook.

Diewertje wrijft haar handen aan de zijkant van haar zomerjurk droog. Gerrit houdt een verhandeling over paarden en de lessen die hij zo graag zou willen hebben, maar die zijn moeder te duur vindt. „En bij ons kun je juist zo fijn aan het strand rijden, Diewertje!"

Zwijgend loopt Diewertje naast hem het achterpaadje door naar de buren. Gerrit is al net zo lang als zij, wat is die jongen gegroeid. „Daar . . . Hendrik loopt net weg achter die schuur, ga er maar gauw achteraan. Hij vindt het vast wel goed als . . . als je zegt dat ik het gezegd heb!" Hij draaft weg, af en toe even omkijkend naar Diewertje. . . . Dat IK het gezegd heb . . . zo, heeft Diewertje dan hier op de hoeve wat te zeggen? Hij is geen kleine jongen meer en dus vraagt hij zich af of Diewertje óók al verkering heeft!

Diewertje vouwt zich in het kleine stoeltje naast buurvrouw. Hoe is het mogelijk dat ze niet de lust heeft om eens een wandelingetje te maken in de heerlijke avondlucht. Binnen is het bedompt en duister vanwege de gesloten gordijnen.

„Buurvrouw, hoe gaat het vandaag?" Diewertje heeft al geleerd niet ál te opgewekt te spreken, dat stoot de vrouw af. Een meewarig toontje slaat niet aan. Kalm, vriendelijk, de stugge antwoorden negerend, zo is haar houding.

Eerst komen de klaagzangen over haar verdriet. Klaagzangen is geen uitdrukking van Diewertje, maar van de Baanks. Zíj begrijpt best dat buurvrouw zich verlaten voelt. Kon ze maar echt helpen! „Ik kom maar even, buurvrouw. Morgen zal ik weer lezen, goed? Maar Gerrit, van Margjes zus, u weet wel, die wou even naar jullie paard. Zodoende. Nee, ik hoef niets te drinken. Maak maar geen drukte hoor. Hoe is het met de ogen?"

Dat is precies de vinger op de zere plek! Het blijkt dat de angst om het gezichtsvermogen te verliezen steeds sterker wordt. „Praat er dan over met dokter Huisman!" is de logische reactie van Diewertje.

Maar buurvrouw is veel te bang voor een negatief antwoord. Diewertje besluit het er niet bij te laten zitten. Straks nog zal ze Hendrik aanspreken en hem op het hart binden contact met Huisman te zoeken. Je kunt ál haar klachten wel toeschrijven aan psychische toestanden, aan haar depressiviteit!

Stel je voor dat er wezenlijk wat aan scheelde!

De vrouw is nog jong genoeg om de toekomst onder ogen te zien, maar ze heeft wel hulp nodig. Diewertje babbelt over ditjes en datjes, wat vrouw Baank zienderogen doet ontspannen.

Maar Diewertje hoort telkens de schorrige jongensstem: „Ze kusten elkaar, net als in een film!"

Als de zomervakantie voorbij is, lijkt het of het fraaie weer ook al vroegtijdig de vlucht neemt. Tot er in september een nieuw warmtefront aankomt boven het natte Nederland.

De dagen worden korter en 's avonds hangt er een lage mist boven de velden, die pas in de ochtenduren door de zon verdreven wordt.

Margje kan de benauwde warmte nu bijna niet meer verdragen en Diewertje slooft zich uit om haar zoveel mogelijk af te leiden. Samen breien ze een winterpakje van heel fijne witte wol.

Soms rusten Margjes handen in haar schoot en dwalen haar gedachten een verkeerde kant op. Plagend vraagt Diewertje dan of ze een plaat op zal zetten van Vivaldi of Mozart. „Denk er om, je kindje leeft op zijn eigen manier al met je mee!" berispt ze dan en Margje bromt dat zíj Diewertje er wel aan zal helpen herinneren zo gauw ze zelf zwanger is!

Waarop Diewertje met een rood hoofd zich buigt over de tikkende naalden. Marg moest eens weten hoe ze soms kan hunkeren naar zoiets eigens, een baby. Een eigen kindje dat je al voor de geboorte in gedachten kunt koesteren!

Dokter Huisman is niet erg tevreden over het verloop van de zwangerschap. Hij heeft het ronduit tegen Christiaan gezegd, die op zijn beurt het weer aan Diewertje overbracht. Marg moet niet voortijdig bezorgd gemaakt worden, vinden zij allen.

Maar Huisman wil graag dat het kind in het ziekenhuis wordt „gehaald". Als het kan vóór de uitgerekende datum, zodat het niet verder in het lichaam doorgroeit.

„O, ik had nooit gedacht dat de dagen zo ontzettend langzaam konden gaan!" is de dagelijkse klacht van de aanstaande moeder.

Troostend zegt Diewertje dat het bij de volgende kinderen helemaal niet zo moeilijk hoeft te gaan . . .

Margje moet nu heus lachen. Volgende kinderen . . .

Als het een meisje wordt zal het naar moeder Anne genoemd worden. Annegreet.
Wordt het een zoon, zo hebben ze besloten, dan erft het kind de namen van de beide grootvaders. Dan zal het Gerrit Frederik Jan worden. In de slapeloze nachten fluistert Margje het voor zich heen: Gerrit Frederik Jan. Erik-Jan Volgers.

Nog onverwacht wordt Margje, eind september naar het ziekenhuis gebracht door een schijnbaar kalme echtgenoot. Dokter Huisman, die haar de dag ervoor controleerde, legde zijn luisterapparaat neer en op een toon alsof hij tegen een klein kind sprak, stelde hij voor het kindje maar „te gaan hálen".
Margje rolde bijna van schrik van de onderzoektafel af. Hálen . . . Hoe? Operatief?
Huisman legde uit dat de bevalling kunstmatig op gang gebracht zou worden.
„Ik vind het zo welletjes, jij niet, Margje van 'De Bruune Hoeve'? Dat kind van je is rijp, zo gezegd. Het wordt geen hummeltje, dat kan ik je verzekeren. Als alles goed gaat ben je overmorgen van je pakje verlost en ik wens je voor de volgende keer minder klachten toe. Ga maar naar huis en pak je koffertje in . . . het komt best goed!"
Die kalmerende woorden geven toch wel even steun.
Dan gaat alles zo razendsnel. Vader en moeder Wickes worden gebeld en Janna Boele. Ook kan Marg het niet nalaten even Mikke Mooi, de naaister, te vertellen, die zegt het lapjesdekentje klaar te hebben.
Diewertje krijgt duizend en één instructies en dan pas gaat Margje haar aandacht aan de kofferinhoud schenken. Maar Diewertje, trouw als ze is, heeft deze al weken klaar staan in het hoekje van een kast.
Het wordt een ervaring die de boerin niet graag over zou doen.
Dokter Huisman, die zelf de bevalling leidt, is genoodzaakt er een specialist bij te halen. Margje, uitgeput als ze is, kan niet meer meewerken. Ze geeft het bijna op. Dat helse vuur in haar lichaam doet haar bijna haar verstand verliezen.

De specialist geeft korte instructies, die Margje totaal ontgaan. Alleen de hand van Christiaan, die het natbezwete haar van het voorhoofd afveegt, is nog reëel.

Uiteindelijk is het de moderne apparatuur die het kleintje het leven redt. En dat van de moeder.

Vaag hoort Margje een kreetje. „Eindelijk!" zucht de hoofdzuster. Later hoort de jonge moeder dat het jongetje al blauw was.

Ervaren handen verzorgen de kraamvrouw, die door de vele verdovingsmiddelen én door uitputting, er niet helemaal bij is.

Erik-Jan Volgers wordt in een isolette gelegd voor vierentwintig uur. De dokter knijpt Christiaans hand bijna fijn als hij hem feliciteert.

„Een zoon van bijna elf pond . . . het had ook niet langer moeten duren, Volgers! God mag je op je blote knieën danken dat het zó gelopen is! Het kind is helemaal in orde en bovendien controleert de kinderarts het hier dagelijks. Nogmaals: ik had het graag anders zien verlopen. Margje heeft een knauw gehad, houd daar rekening mee! Zowel lichamelijk als psychisch. Maar ze is jong!"

Veel krijgt Margje niet mee van die verwarrende eerste dagen. Voor de maaltijden geserveerd worden ontwaakt ze niet of nauwelijks. Alleen de heen en weer fladderende verpleegkundigen wordt ze gewaar.

Tot het moment komt dat ze zich realiseert niet alleen op een zaal te liggen. Ze hoort de drie andere kamergenoten onderdrukt lachen, een zacht babyhuiltje en radiomuziek, die ergens naast haar zeer zacht klinkt.

Ze richt zich op en een verpleegster zegt lachend: „Hè, hè, eindelijk! Wat een slapend moedertje bent u, zeg! Die zoon van u kan al bijna lopen en praten en moe maar pitten!"

Verlegen en verward wil Marg rechtop gaan zitten, maar nu is de zuster haastig bij haar. „Volledig gehecht, kalm áán" en met nog een paar vermaningen, die echter langs haar héén gaan, stoppen rappe handen haar losjes in.

„Ik zal de andere mamaatjes even voorstellen . . ."

Dan worden de baby's binnen gebracht door de zusters. Margje echter houdt haar nest leeg. Ze zou de zuster willen vragen hóe en wat, maar dan komt die vermoeidheid weer terug. De zusters zijn bovendien druk met de moeders en de kinderen. Eén baby weigert de borst en een andere heeft de hik.

Niemand merkt wat van de gloeiende tranen die langzaam over Margjes gezicht druppen. Had ze dan toch gelijk . . . is er iets niet goed?

Dan buigt zich een schim over haar heen. „Mevrouw Volgers . . . eindelijk er weer bij hè? Ik moet u even plagen, kijk, u krijgt een bloedtransfusie . . . u hebt veel bloed verloren en nog eens flink nagebloed. Kijk, het is zo gebeurd. Maar ik zal eerst eens even een lekker koud washandje halen!"

Ze trekt het gordijn naast de bedden dicht en dan voelt Margje zich heerlijk alleen, net als toen ze nog een kind, een jong meisje was en ze haar troost zocht èn vond bij een scheefgegroeide vlierboom.

De vriendelijke zuster komt terug en fluistert: „Wat scheelt er aan?"

Haperend vertelt Margje van haar kindje . . . ze heeft het nog niet eens goed gezien, niet vastgehouden . . .

De zuster verzekert haar dat alles zeer goed is. Maar men wilde de jonge moeder de rust gunnen en de eerste vierentwintig uur lag het jongetje in de isolette. Nu mag hij niet uit zijn wiegje, hij moet een dag of drie in zijn bedje gewassen, voorzover dat gaat, én gevoed worden. Dat alles terwille van de nodige rust die híj ook nodig heeft. Hij schijnt erg beweeglijk te zijn, hoort Margje. Hij krijgt zelfs een kalmerend middeltje in de fles toegevoegd. Want van borstvoeding is op het moment geen sprake.

„Maar ik zal even vragen aan de dokter of ik met het wiegje hierheen mag komen, want het is te gek dat een moeder haar kind niet te zien krijgt! Wat doe je ook met zo'n bol van een zoon!" besluit de zuster plagend.

Margje ligt stil naar de fles die naast haar bed hangt, te kijken. Ze voelt een zware hoofdpijn opkomen.

Het verlangen naar Christiaan doet haar bijna weer in huilen uitbarsten. Dan hoort ze zacht geratel van wieltjes. Het gordijn wordt opzij geschoven en dan staat het wiegje naast haar. Een grote witte kap, met een gekleurd lintje. Zachte smakgeluidjes.

Zuster tilt haar iets op en slaat het wiegegordijn opzij. Dan ziet Margje van „De Bruune Hoeve" haar kind. Erik-Jan Volgers.

Nu kan ze de tranenvloed niet langer tegenhouden, de emoties moeten er uit.

Opeens is Christiaan daar. Met bloemen en een mand die uitpuilt van de pakjes.

Is er ooit zo'n teder moment geweest tussen hen beiden?

Christiaan geneert zich niet voor de tranen in zijn ogen. „Margje dan toch!" En dan héél zacht: „Mijn vrouw, moeder van een zoon..."

Het hele huishouden op „De Bruune Hoeve" is in de war. Er wordt geregeld gebeld en Diewertje kan geen kwartier achter elkaar haar werk doen. Christiaan is helemaal over zijn toeren. De spanning is ook veel te groot geweest.

Diewertje bemoedert hem als een kloek haar kuiken.

Het is een teleurstelling voor allen dat het kind niet thuis is geboren. Maar de dankbaarheid omtrent de goede afloop is des te groter!

De kruidentuin blijft ongewied, buurvrouw Baank wordt niet voorgelezen en ook het jeugdgroepje van „Dalenk" krijgt hun juf niet te zien, die week. En dat alles door de geboorte van Erik-Jan.

Diewertje schikt de vele bloemen en planten. Brieven en pakjes gaan met Christiaan mee, naar het ziekenhuis; ook legt ze een lijst aan van belangstellenden die opbellen. Nee, bezoek mag ze nog niet hebben, wacht maar tot moeder en kind thuis zijn.

Alleen voor de familie worden uitzonderingen gemaakt. Moeder Anne en Margjes zuster Ine, die hebben vrij toegang. Vader Wickes wacht met het bezoeken van zijn kleinkind. Hij kan, vanwege zijn hartklachten, die emoties niet verwerken.

Diewertje is dolblij met de drukte. Hoe meer ze te doen heeft, hoe liever het haar is.

's Avonds is ze zó moe, dat ze als een blok in slaap valt. En dat is dé manier om Meinte uit het hoofd te zetten. Alleen jammer dat het trucje niet voor dag en nacht werkt!

HOOFDSTUK 10

Het duurt drie weken eer de jonge moeder met haar zoon huiswaarts mag keren. Margje is totaal verward door al dat nieuwe wat haar is overkomen, ze kan niet zoals de andere vrouwtjes prevelen tegen haar kind. Wel is ze dankbaar verlost te zijn van haar pak, maar een binding met hem schijnt ze niet te hebben. Iets, dat haar grote zorg baart!

De dag vóór haar thuiskomst verrast Diewertje haar met de mededeling dat ze geslaagd is voor haar rijexamen, en nog wel meteen de éérste keer.

Reden te over tot vreugde, maar Margje is blij als ze in haar eigen bed ligt en de baby door Diewertje verzorgd weet. Moeder Anne bekommert zich om de kraamvisite. Steeds hoort Margje moeders stem met verheffing zeggen: „Kálm, va, denk jij nou maar aan de rikketik!" En de jonge boerin denkt: ze moesten eens in mijn ondankbare hart kunnen kijken . . .

Maar ook Erik-Jan Volgers schijnt het moeilijk te hebben. Hij huilt abnormaal veel, wat de moeder tot wanhoop brengt. Ze is blij als iemand vraagt het kind de fles te mogen geven, ze kan nauwelijks de rust opbrengen om met het kindje in een hoekje te gaan zitten.

Diewertje kan dit bijna niet aanzien en ze moet zich bedwingen Margje niet terecht te wijzen. Heeft ze niet alles, een man en een kind, een huis met alles er op en er aan, een veestapel en: gezondheid! Maar instinctief voelt ze aan dat dit Margje niet uit haar apathie zal helpen.

Maar Margje is het zat, volgens haar eigen zeggen. Want het is weer Diewertje waar ze haar hart bij uitstort.

Haar angst dat ze geen goede moeder zal zijn, geen liefde op kan brengen voor het brullende kleintje in de wieg. Het vele werk dat erbij is gekomen maakt haar doodsmoe.

Terecht beseft Diewertje dat Margje lijdt aan dat wat ze zo vaak heeft gelezen in damesbladen. Een soort depressie die zich na een bevalling kan openbaren en resoluut dwingt ze Margje ermee naar Huisman te stappen.

Mikke Mooi wordt weer eens ingeschakeld en van de dokter krijgt Margje tijdelijk slaaptabletten. Nu is het Christiaan die zich 's nachts bekommerd om de huilende baby, wat voor de hardwerkende man een ware overbelasting is.

Zo komt Diewertje met de oplossing de kleine een poosje bij haar in te kwartieren en het wonder geschiedt: Erik-Jan ervaart de rust die Diewertje uitstraalt als een balsem, al gauw slaapt hij de hele nacht dóór! Ja, het klikt tussen Diewertje en de jonge Volgers. Als Diewertje vóór het slapen gaan liedjes voor hem zingt, sabbelt de baby tevreden op zijn knuistjes. Ja, mussen zouden niet kunnen zingen?

Maar wel oefent Diewertje wekelijks trouw met het jeugdgroepje op „Dalenk" ondanks haar drukbezette dagen.

Van de leider van het kerkkoor heeft ze enkele boeken met muziek voor kinderen gekregen. Met één vinger zoekt ze de melodieën uit op de piano, helaas is ze de kunst van het spelen op het instrument niet machtig. Behalve zingen, knutselt ze ook een uurtje met de kinderen.

Eerste Kerstdag wil Thomas Rinzema het kinderkoor op „Zonneheuvel" laten zingen. Zelf zal hij dan aldaar werkzaam zijn. Zolang Diewertje geen andere begeleider heeft zal hij het koor op de piano begeleiden.

Het is Diewertje vreemd te moede in zo'n koortje opgenomen te zijn bij de leiding van het huis waar ze zelf als kind haar opvoeding heeft gekregen!

Janna vindt het heerlijk om te luisteren naar de kinderzang en ze is dol op de kleine Erik-Jan die door Diewertje meegenomen wordt en heerlijk in zijn wagen ligt te slapen.

De éérste lachjes van de kleine zijn niet voor zijn moeder, maar voor Diewertje en het anti-depressie middel dat de dokter heeft voorgeschreven helpt maar langzaam. De tijd zal het beste geneesmiddel zijn!

Dan komt Janna op het idee om Margje er eens een weekje uit te sturen. Naar haar zus in Den Haag. En wonder boven wonder: Margje, die vastgeplakt lijkt aan „De Bruune Hoeve" gaat op reis, wetend dat zus Ine, die zelf ook nog een kleine dochter heeft, haar hartelijk zal verwelkomen.

Erik-Jan is in de beste handen, want het is Diewertje die voor hem zorgt en het overige werk gaat gewoon door.

Alleen Christiaan voelt zich diep verlaten.

Zonder de vrouw des huizes lijkt „De Bruune Hoeve" doods. Margje heeft haar stempel op de hoeve gedrukt, dat is nu pas merkbaar.

Als eindelijk de herfststormen tóch komen, de luiken doet klepperen en het gevallen blad hoog de lucht instuwt, wandelt de boerin, diep weggedoken in de kraag van haar jas, langs de zee.

De oneindige zee, windkracht negen. Schuimflarden rollen langs de branding. Ruw hout, lege vaten, stukken van netten en plastic afval worden op het strand geworpen, tussen hoeveelheden schelpen.

Tot vlak aan de schuimrand loopt Margje. Achter de meeuwen aan zou ze willen, die krijsend langs haar heen vliegen op zoek naar voedsel.

En hier is het dat ze zichzelf terugvindt. Een brokje van die oneindige schepping. „O God van hemel, zee en aard . . ." ze zingt het hardop en de wind waait haar woorden ver weg. Maar Margje weet dat Hij haar gehoord heeft.

Tegen een meeuw, die vlak voor haar laarzen neerdaalt, roept ze: „En morgen ga ik naar huis!"

Weer maakt Diewertje „De Bruune Hoeve" gereed om de vrouw des huizes feestelijk te ontvangen.

Ze zullen Sinterklaas vieren met vader en moeder Wickes erbij, heeft Margje aan de telefoon verklaard. Of Diewertje de voorbereidingen maar vast wil treffen.

December, feestmaand. Familiebezoeken en schriftelijke contacten.

„Het vee zou nog wel in de wei kunnen!" beweert Christiaan herhaaldelijk. Zo'n zacht wintertje hebben ze nog niet vaak gehad. Maar Diewertje lacht hem uit. December is het pas . . .

wacht maar af! Er kan nog van alles komen.

Het mooiste cadeau dat Christiaan ooit kreeg met Sinterklaas is de thuiskomst van zijn vrouw. Ja, ze ís er weer. Huisman waarschuwde dat ze nog kalm aan moest doen. Pas in het voorjaar zal ze weer honderd procent zijn en mee kunnen doen.

Ook met haar zoon heeft ze nu meer contact dan in het begin. Het kind slaapt weer in zijn eigen kamertje en Diewertje, moedertje als ze is, mist het kleintje onuitsprekelijk.

Maar haar leven is voller dan ooit. Alleen Nora, die tracht ze te ontlopen. En dat is niet moeilijk, want de verpleegster schijnt het erg druk te hebben. Diewertje heeft wel ontdekt dat er een drukke correspondentie tussen haar en Meinte gevoerd wordt.

Maar van de innerlijke strijd van Nora merkt ze niets. Een strijd, die ze verliest, want uiteindelijk zwicht de jonge vrouw voor het aandringen van degene die op dit moment de belangrijkste in haar leven is. Ze stemt toe – Meinte mag een ring aan haar vinger schuiven.

Vlak voor Kerst wipt ze aan bij Diewertje.

„Dat is lang geleden hè? Maar jij bent ook zo afschuwelijk bezet met je zangkoren en burenvisites . . . Ben je ooit huis, meid? Ik kom even gedag zeggen, wij gaan met een groep op wintersport. Meinte en ik . . . Kijk eens, ik heb me toch laten vangen!"

Het duizelt Diewertje voor de ogen als Nora de hand waaraan een glanzende gouden band prijkt, langs haar gezicht laat fladderen.

„Meinte," stelt ze stotterend vast.

Nora lacht en zucht tegelijk. Ja, ze is niet bepaald geschikt voor het huwelijk . . . dat weet Meinte wel. Ze is bang voor vaste verbintenissen. Eigenlijk gelooft ze er niet in. Zij en Meinte denken rakelings langs elkaar heen . . . maar misschien is het mogelijk dat ze naar elkaar toegroeien, wie weet.

Diewertje feliciteert haar, maar durft niet recht in de ogen van de ander te kijken.

Meinte, die heeft nu net zo'n ring om. Eén, die hoort bij die van Nora.

„De Bruune Hoeve" wordt in een kersttenue gestoken. Rode en witte papieren klokken hangen boven de geraniums voor het raam.

Christiaan is dol van vreugde dat zijn vrouw aan de beterende hand is.

Op een dag komt hij thuis met een kerstboom die maar net door de deuropening kan.

„Met kluit!" roept hij blij als een jongen.

Margje en Diewertje kijken onthutst naar het groene stukje natuur dat maar zo in de kamer geplant wordt.

Diewertje krijgt de slappe lach als ze het ontstelde gezicht van Margje gewaar wordt, die niet durft te protesteren.

„Waar een kind in huis is, hoort een kerstboom!" zegt de jonge vader met overtuiging. „En als de Kerst voorbij is, zetten we hem in de tuin, ter herinnering aan de éérste Kerst van onze jongen, mijn vrouwtje!"

Diewertje vlucht naar de keuken. Bij de intimiteit die hier ten toon gespreid wordt kunnen ze haar missen als kiespijn.

De boom wordt getooid met zilverkleurige ballen. Drie keer rijdt Diewertje na het dorp om er versiering bij te halen, want de ballen en klokken verdwijnen gewoon tussen al het groen.

Als de boom eindelijk klaar is, zet Christiaan een ster in de top. Geen piek, want dan zou er een punt aan de den geslepen moeten worden en dat zou de groei van de boom later belemmeren.

Er worden foto's gemaakt. Erik-Jan onder de boom, alleen. Met zijn vader en met zijn moeder. Met Diewertje, en een keer naast Reintje. Erik-Jan die met een klein handje grijpt naar de glimmende pracht. Erik-Jan die op een wipstoeltje onder de boom zit, met de beer van Meinte.

Kerstfeest op „De Bruune Hoeve".

De rust is eindelijk weer gekeerd.

HOOFDSTUK 11

„Er is een Kindeke geboren op aard . . ."

Zacht zingend doet Diewertje haar werk. Nou ja, wérk! Als je een kamer versieren werken kunt noemen. Dennetakken achter een schilderijlijstje en boven op de klok, die Margje altijd „Grootvaders klok" noemt.

Een paar rode linten erdoor gevlochten maakt het nog feestelijker. Voor het raam staat de denneboom, stevig geplant in een oude voeremmer. Rood crêpe papier bedekt het gedeukte zink, waar de emmer van gemaakt is. Af en toe doet Diewertje een stap achteruit om het effect van haar werk te bekritiseren.

Het is gaan vriezen en dat geeft het geheel een kerstsfeertje. Met het lint in haar hand blijft Diewertje even besluiteloos staan. Kerstsfeertje, dat woord staat haar tégen. Dat is goed voor hen die geen geestelijke achtergrond wensen. Een feest van vrije dagen, eten en drinken. Eigenlijk zijn zulke mensen te beklagen.

Wacht, ze kan nog best een paar takken boven de kamerdeur bevestigen. Dat doen ze in Engeland ook met mistletoetakken.

Margje zal opkijken als ze terug komt van haar bezoek aan de naaister.

Ze wil haar trouwjapon laten vernaaien tot een doopjurk voor Erik-Jan. Gelukkig dat Margje, nu ze toegegeven heeft dat ze zich niet honderd procent hóeft te voelen, best een beetje „ziek" mag zijn, zich wat beter voelt. Het is het alsof de spanning die zich van haar meester heeft gemaakt, wat minder aan het worden is.

Per slot van rekening is het een tijdelijke toestand. En dat ze zich zo schuldig voelt ten opzichte van Erik-Jan! Diewertje kan er niet over uit. Het is ook zo'n omschakeling voor een mens, dat moederschap! Hoewel zíj er geen moeite mee zou hebben.

Onwillekeurig moet ze nu terugdenken aan het Kerstfeest vorig jaar in Lübeck. Even is er het verlangen naar de kleine meid die haar als een tweede moeder zag! Barbara schreef in haar laatste brief dat Diewertje bést terug mocht komen, als ze wilde. Wie weet wat ze in de toekomst doet, al blijft ze liever hier, op „De Bruune Hoeve".

Maar om zo in de buurt van Nora en Meinte te moeten leven, dat kan ze niet verdragen. Misschien kan mevrouw Boele haar wel aan werk helpen, ergens in een kindertehuis. Alleen, ze heeft geen enkele bevoegdheid in die richting.

Tja, ze zou zélfs kunnen overwegen naar Australië te gaan. Maar dat zal dan wel het laatste zijn van wat er te kiezen valt.

Zo, die deur van de kamer naar de keuken is mooi. Wat zullen ze allemaal opkijken, straks.

Diewertje hoort niet dat de deur achter haar open gaat, ze ziet de man niet binnen komen. Ze merkt zijn aanwezigheid pas als er twee armen om haar smalle schouders geslagen zijn en een koude wang tegen haar verhitte gezicht gedrukt wordt.

„Dan moet je maar niet zo verleidelijk onder de mistletoe gaan staan, Musje!"

Meinte, oh, Meinte. Hoe kun je me dát aandoen? denkt Diewertje gekweld.

„Dit is geen mistletoe, we zijn niet in Engeland . . . laat me nou los! Ik hou niet van dat gedoe!"

Ze probeert de sterke armen van zich af te duwen. Het is immers voor hem maar een spelletje? Een spelletje met een mus, die je de restjes van je ontbijt toegooit, nadat jezelf verzadigd bent.

Als Meinte een vluchtige zoen op haar trillende lippen drukt, kan ze met moeite haar tranen bedwingen. Wat zou Nora haar uitlachen, als ze hen beiden kon gadeslaan. Wat betekent één zo'n zoentje nou toch?

Voor haar betekent het de hele wereld.

Meinte laat haar los en bewondert de boom, lacht om de grootte ervan. Merkt totaal niets van de ontreddering van het meisje achter hem.

Hij zet de beer van Erik-Jan op het wippende babystoeltje en spreekt hem in het Engels toe.

Diewertje vlucht naar de keuken. De bijna-gare-taart in de oven vraagt haar aandacht.

Meinte gluurt vrijmoedig méé over haar schouder en informeert of er nog koffie in de pot zit.

Diewertje haalt diep adem, werpt een nerveuze blik op hem. Ze knoopt de banden van haar schort onnodig opnieuw vast achter haar rug. Ze haalt de schouders op. „Zet het zelf . . . je schijnt hier toch kind aan huis te zijn . . ."

Dan komt Margje thuis. Ze parkeert de kinderwagen in het

winterzonnetje en stapt naar binnen.

„Heerlijk is het hier... oef, het ís me toch opeens koud buiten! Er komt vannacht wel tien graden vorst, vertelde Mikke, zeg!” Dan een blik op de kerstboom. „Arme stakker, die komt voorlopig nog niet in de tuin, jongens!”

Meinte doet zijn beklag. Diewertje krijgt allures. Ze wil niet eens koffie voor hem zetten.

Margje trekt hem aan zijn krullen. „Zet het dan zelf”, zegt ook zij gemoedelijk en gaat naar buiten om haar zoon te halen. Ze duwt het kind in Meintes armen, die met hem onder de mistletoe gaat staan.

Hij kust het zachte kopje. „Jij bent niet zo agressief als die Mus daar, hè ouwe jongen? Hier, een zoen van ome Meinte met de beste wensen voor het Kerstfeest!”

Erik-Jan zet het op een brullen en Diewertje werpt, met de hele taartvorm in haar handen, een tevreden blik over haar schouder.

Margje laat de verzorging van Erik-Jan nu verder aan Diewertje over, die hem meeneemt naar boven voor een schone luier.

Christiaan komt handenwrijvend binnen. De warmte binnen is een heel verschil met de temperatuur buitenshuis. Zijn wangen zijn rood en hij slaat zijn armen als een gymnast heen en weer.

„Het water bij de kippen was bevroren, de leiding stuk!” moppert hij. „Die elektrische kachels vreten bovendien stroom met dit weer. Ik denk er hard over centrale verwarming aan te laten leggen!”

Margje vlijt haar armen om zijn hals. „Alleen in het kippenhok?” informeert ze speels.

Christiaan trekt haar dicht tegen zich aan. „Ga even de kamer uit, wil je?” vraagt hij aan Meinte die belangstellend toekijkt.

„Ja, en zet dan meteen koffie!” klinkt Margjes stem gesmoord ergens vanuit de trui van haar man.

„Als ik jou toch niet had...” fluistert de boer in het oor van zijn vrouw, die de zin afmaakt op de wijze van de dorpelingen: „... en mijn beide ogen niet, was ik stekeblind!”

Christiaan straft haar door haar met zijn koude mond het zwijgen op te leggen.

Margje, wat verlangt hij naar haar... Zou ze hem weer zien als haar man? Of is de situatie van moeder én vrouw nog te moeilijk voor haar? Hij neemt zich voor eens met haar te praten, vanavond. Soms heeft ze van die melancholieke buien en lijkt ze weer op het meisje dat ze vóór hun verloving was. Hij schudt haar zacht heen en weer. Margje van „De Bruune Hoeve", moeder van zijn zoon!

Meinte gluurt om het hoekje. „Witte brood is ongezond mensen, ik zou maar eens aan het volkorengedeelte beginnen!"

Even later presenteert hij als een ober de verse koffie, een theedoek over de arm.

Als Diewertje met Erik-Jan beneden komt, geeft ze een gil van schrik als ze ziet dat Meinte een mes boven de zojuist gebakken taart laat zweven.

„Sufferd! Laat dat! Dat ding moet afkoelen en dan opgespoten!"

Hm? Besluiteloos kijkt Meinte van het mes naar de taart. Waarom nou? Warm gebak is toch lekker?

Diewertje duwt de baby in zijn arm en brengt op een holletje haar baksel naar de kelder.

Deventerkoek kunnen ze krijgen. Rap snijdt ze dunne plakjes, een likje roomboter er op.

Op de drempel blijft ze even staan, om de situatie in zich op te nemen. Christiaan en Margje naast elkaar op de bank. Erik-Jan op een dekentje aan hun voeten.

Meinte schiet op uit zijn stoel. „Dat doet ze nou de hele tijd, die Mus! Expres onder die dennetakken staan, wachten tot er een kerel langs komt om haar te zoenen!"

Diewertje duikt weg met een kleur als vuur. Tegen de vlotte tong van de aanstaande veearts is ze niet opgewassen...

De volgende dag brengt Christiaan een paar folders mee uit het dorp met gegevens over centrale verwarming. Als Erik-Jan groter wordt en behoefte heeft aan een eigen speelruimte, moet het boven gemakkelijk te verwarmen zijn. Al die verplaatsbare kachels, daar moet Christiaan niets van hebben.

Met een rieten dak moet je toch oppassen, is zijn mening. Zelfs de verzekering slaat je hoger aan vanwege dit soort dakbedekking.

Margje vindt het best, als het financieel tenminste uitkan. Maar Christiaan weet te vertellen dat zulke kosten wel eens best aftrekbaar konden zijn.

„Het aanleggen zal wel een bende worden", veronderstelt Diewertje. Ze vraagt zich af of het niet beter is te wachten tot het voorjaar. Is al die drukte nu wel goed voor Marg?

„Zoals jij toch met Erik-Jan omspringt!" zegt Marg en schuift de folders aan de kant. Ze is hemdjes en truitjes aan het vouwen. Diewertje heeft het babywasje buiten aan de lijn gedroogd en de vrieslucht zit er nog aan.

Christiaan redt de folders en vindt dat in januari meteen maar begonnen moet worden met de aanleg van de buizen.

„Ach . . .," zegt Diewertje als antwoord op wat Margje zei.

„Niks ach!" komt nu Christiaan. „Ik vind 'De Bruune Hoeve' in de winter net een iglo!"

Margje schiet in de lach. Wat is het toch een heerlijkheid om haar geliefde hoeve te mogen delen met Christiaan! Ze legt een hemdje en een truitje op de warme schoorsteenmantel, een verschoning voor de kleine baas.

„Een iglo!" zegt ze spottend. „Voor jouw komst hier hebben er generaties mensen gewoond . . . haha! Die gingen met verwarmde zwerfkeien naar bed, in de winter! Vraag maar na bij vader! Moeder Anne heeft indertijd strijd geleverd met opoe over dat onderwerp. Opoe vond kruiken een luxe, geldverspilling!"

„Ach", zucht Diewertje nu, breiend aan haar eigen gedachten. Als Erik-Jan haar baby was en van eh . . . verder durft ze nu niet te denken. Ze vindt het ontoelaatbaar zelfs in gedachten te spelen met het idee dat Meinte degene is die zij als vader voor haar kinderen uit zou kiezen.

Christiaan tikt haar op het hoofd met de folders en plaagt dat ze haar tijd verdroomt. Wie zo in de verte staart, is verliefd, beweert hij. Diewertje kleurt en Margje kijkt haar man waarschuwend aan. Is hij vergeten hoe het hem zelf te moede was vóór hun verloving een feit was?

„En dan huizen we een poosje bij Diewertje in het hok!" zegt Christiaan opgewekt. „Daarna ben jij aan de beurt, Diewertje, en mag jij bij ons logeren en dan laten we ook verwarming bij jou aanleggen. Dan zijn we van al die kacheltroep af!"

Eigenlijk hoeft dat van Diewertje allemaal niet zo. Ze vindt het best zoals het is. Zíj houdt nu eenmaal niet zo van veranderen . . .

De Kerstdagen zijn op „De Bruune Hoeve" een waar feest. Het is een komen en een gaan van familie. Uit de keuken komen geuren van gebraden vlees en er is doorlopend verse koffie of warme chocolademelk.

De winter heeft zijn klauwen uitgestrekt en het is bepaald onaangenaam buiten.

De wind is „hoog", zo zeggen de boeren. En dat betekent voorlopig geen verandering.

Maar binnen is het warm, in de huiskamer en in de woonkeuken tenminste. Ook de dieren in de stal hebben het goed. Margje is dankbaar voor het feit dat ze dankzij de moderne voorzieningen zich niet bezorgd hoeft te maken over het eventuele bevriezen van melk. Ze weet nog best dat dit vroeger een probleem kon zijn! Vooral op zon- en feestdagen, als het halen van de melk door de auto van de fabriek een keertje overgeslagen werd. Wat hebben ze het dan nu gemakkelijk met de melktanken!

De winter is op de hoeve een tijd van rust, in vergelijk met de zomerse drukte.

De Kersttijd is het hoogtepunt van dit jaargetijde, vindt Diewertje. Ze geniet intens van de sfeer. Toch weer anders dan vroeger op „Dalenk". Persoonlijker. Ze slooft zich uit de kinderen van het jeugdgroepje dat onder haar leiding liederen heeft geoefend te betrekken bij het Kerstgebeuren, zoveel ze kan.

Janna Boele kan haar zwijgend gadeslaan als ze in de weer is met het grut. En vraagt zich af of Diewertje niet beter het roer kan omgooien en alsnog een studie gaan volgen op het vlak van de kinderverzorging. Op de „De Bruune Hoeve" zal ze het uiteindelijk niet verder brengen dan hulp in de huishouding. Vroeger zou men „meid" gezegd hebben. Gelukkig is die term verleden tijd. Ja, voor Diewertje voelt Janna een extra verantwoording. Al is het meisje officieel niet meer onder haar hoede, er is in het verleden genoeg gebeurd dat haar reden te over geeft Diewertje nooit los te kunnen laten. Diewertje, het weesje. Nog ziet ze de pasgeboren kleine voor zich in de armen van een stervende moeder. Nooit en nooit zal ze de ogen van de jonge vrouw vergeten. Het verbaast haar dat Diewertje zo zelden toespelingen maakt over haar verleden. Ze is tevreden met dat wat ze weet. Familie is er niet, behalve de ijskoude nicht die geëmigreerd is, kort na Diewertjes geboorte.

Tante Stien, voor wie beloven en doen twee uitersten zijn!

Janna is er gelukkig mee dat Diewertje haar plannen op heeft gegeven om naar Australië te gaan!

Het is ontroerend te zien hoe de kinderen Diewertje aankijken tijdens de viering die ze op „Zonneheuvel" mogen meemaken.

De bewoners zijn, deels in rolstoelen, bijeengekomen in de recreatiezaal. Een grote kerstboom staat opgetuigd in een hoek. Buiten vlak voor het venster, staat een tweede boom, die met lampjes is versierd en van verre al te zien is door de dorpelingen.

De gasten uit het kindertehuis zitten in een kring om de boom heen. De directrice van „Zonneheuvel" doet haar best de mensen uit het dorp zoveel mogelijk te betrekken in het leven van haar patiënten, om zodoende hun toch geïsoleerde bestaan wat te doorbreken.

Wat een tegenstelling. Die kindergezichten, vol verwachting. Daar tegenover de gerimpelde huid van de bewoners, die getekend is door pijn en het leven zelf.

De verwachting voor de dag van morgen is uit hun ogen gewist. Maar er is iets anders voor in de plaats gekomen. Rust, berusting. En het weten dat het leven op aarde niet meer is dan een wachtkamer. Het volmaakte moet nog komen. Het Kerstfeest dat nu gevierd wordt is maar een schaduw van een schaduw van die toekomst.

Diewertje is nerveus, ze heeft wat je plankenkoorts zou kunnen noemen. Maar als het moment daar is dat ze vóór haar kinderen staat, valt er een rust op haar.

Relativerend bezint ze zich: ze mág dit hier doen. Het is een voorrecht!

Vergeten zijn de patiënten, de leiding, Nora.

Alleen de kinderen, die blijft ze zien. Thomas Rinzema speelt zacht een voorspel. Diewertje heft geconcentreerd haar hoofd op. Een beetje schuin, een zachte blos op het anders bleke gezichtje. Ook de ogen lijken van een donkerder blauw – hier is de opwinding te lezen, die haar daareven nog de baas dreigde te worden.

Heilig bijna klinken de stemmetjes, als een hemels voorspel. Even is alle pijn en verdriet vergeten. De zang tilt hen allen uit boven het dagelijks gebeuren. Janna ziet in het schaarse licht van de kaarsen tot haar verwondering dat Nora te kampen heeft met ontroering. Een lichte zucht ontsnapt haar. Haar aanstaande schoondochter . . . Zal ze ooit wijs kunnen worden uit die jonge vrouw? Realiseert Meinte zich wel aan wat voor soort vrouw hij zich gaat binden? Als je háár vraagt, houdt een eventueel huwelijk niet lang stand. Of ze moet haar zoon al heel slecht kennen! Vallen dan alle mannen op een mooi lichaam, een vlotte mond? Tellen de ouderwetse waarden niet meer voor hen? Oh, ze wil geen kwaad woord over haar vroegere pupil zeggen. Maar als echtgenote voor Meinte had ze liever een ander gezien. Nora . . . Deksels goed weet de jonge vrouw welke gedachten ze bij de mannen losmaakt! Haarfijn voelt Janna dit aan. Vrouwelijke intuïtie is het die haar dit verraad. En minachtend is haar eindconclusie: dat soort aantrekkingskracht is er één van een lagere orde. Een tijdelijk bezit, zou ze het willen noemen. Immers: iedereen wordt ouder. Ook Nora kan haar schoonheid verwoest zien door een ziekte, een ongeluk. Nee, als je het van je uiterlijk moet hebben, ben je arm. Dat Meinte dát nu niet ziet! Want weet hij wat er verder leeft in Nora? Hoe diep gaat ze? Heeft ze nog wel een gelóófsleven?

Ach, en dan al die moderne ideeën over de vrijheid van de vrouw. Toch moet ze de verpleegster in het meisje niets anders dan lof geven. Alle patiënten zijn dol op haar. En niet alleen de mannen.

Maar met het overige personeel, zo weet Janna, kan ze het

niet zo best vinden. Het zijn hier geen Diewertjes!

Meinte is binnengekomen, op sluipende voeten om niet te storen. Hij schuift op een lege stoel naast zijn moeder. Ook hij kijkt vertederd en fluistert in Janna's oor: „Die Mus laat de kleintjes toch maar aardig zingen, moeder! Er gaat een dirigente aan haar verloren. Het is net of ze het spul aan touwtjes heeft!"

En Janna wenst uit de grond van haar hart, dat het Diewertje was die van Meinte een ring had gekregen.

Na afloop is de pianist de eerste die op Diewertje afkomt en haar een gemeend compliment geeft. Ook de directrice laat haar enthousiasme blijken. Eigenlijk moesten die kinderen eens vaker komen zingen. De oude schoolliedjes bijvoorbeeld. Die horen ze zo graag. Diewertje knikt vlijtig. Dat weet ze, van Klaas. „Kun je nog zingen, zing dan mee", ze zegt het met een zachte glimlach.

Maar alleen haar mond lacht, de ogen spreken een heel andere taal. Want achter in de zaal is Meinte, die Nora behulpzaam is met een patiënt. Over een grijs hoofd heen vinden blikken elkaar, die niets te raden overlaten.

„Kom, Diewertje", zucht Janna. „Er is nog meer te doen vandaag, je moet óók nog naar de kerk met het clubje, nietwaar? Kind, er rust zegen op . . ."

Later, in het kerkgebouw, komen de kinderen van het koor binnen als het orgel een variatie op bekende Kerstliederen ten beste geeft.

Diewertje heeft de jeugdige zangertjes een schoteltje gegeven met een brandend waxinelichtje er op. Dan klinkt van af het orgel het lied:

> „Jezus zegt dat Hij hier van ons verwacht,
> dat wij zijn als kaarsjes, brandend in de nacht.
> En Hij wenst dat ieder, tot Zíjn ere schijnt
> Gij in uw klein hoekje, en ik in 't mijn . . ."

De ijle stemmetjes die meezingen gaan bijna verloren in de grote ruimte en juist daardoor is het effect des te ontroerender.

Hendrik Baank, op zijn vaste plaats gezeten naast zijn broer en schoonzus, knikt bedachtzaam. Ja ja, Diewertje. Een beste boerin zou ze wezen. Gewilliger dan Margje van „De Bruune Hoeve"! Achteraf is hij toch wel blij dat die niet op zijn avances in is gegaan... Het zou niets geworden zijn. Diewertje is zachter, vrouwelijker.

Er begint iets in hem te gloeien. Ook hij wil een eigen leven. Een eigen vrouw, kinderen als het zo mocht zijn. De zorg voor moe niet meer zo alleen dragen. Diewertje, een vrouw om bij thuis te komen!

Als de gemeente gaat staan, is hij zo ver weg met zijn gedachten dat hij niet eens gemerkt heeft dat de dominee is binnengekomen. Met een rood hoofd schiet hij overeind, stuntelt zijn kerkboek op de grond. Een doffe plof in een doodstille ruimte.

Een meisje achter hem begint te giechelen en dan buigt Hendrik zijn hoofd diep op zijn borst. Met gesloten ogen luistert hij naar de begroeting van de predikant.

En als dan even gelegenheid is voor het eigen stil gebed, stromen als vanzelf zijn gedachten naar het tengere meisje dat voor in de kerk tussen een groepje kinderen zit.

Diewertje heeft het druk met de Kerst. Ten eerste is er op de hoeve veel aanloop van familie. En: Marg kan beslist nog niet zo heel veel hebben, al doet ze ook nog zo flink. Diewertje laat zich niet voor de mal houden!

Maar ze weet ook de weg te vinden naar het kindertehuis, op verzoek van Janna. De kinderen zijn blij haar te zien en voor Diewertje zelf is het toch een stukje thuiskomen.

Al ligt er in haar kleine eigen woning ook duizendmaal een kaart uit Perth van tante Stien, met de aankondiging dat ze zeer binnenkort op bezoek komt! Nou ja, een beetje benieuwd is ze wel naar het enig familielid dat ze rijk is. Al zal er altijd wrok blijven om het feit dat ze haar als kleine wees niet bij zich heeft genomen. Of er moet wel een zo goede reden zijn die ze niet weet. Soms zou ze mevrouw Boele willen vragen over wat die weet van haar afkomst. Maar ergens is er een vage angst... alles willen weten maakt een mens niet rijker. Ze heeft zo vaak meegemaakt bij anderen, dat zulke wetenschappen en ontmoetingen met verre familie, op teleurstellingen kunnen uitlopen. Zolang ze bewust kan denken, heeft ze die verlangens de kop ingedrukt. Al met al heeft ze geen onprettige jeugd gehad. Ondanks het feit dat Janna en het andere personeel nooit een echte moeder hebben kunnen vervangen. Ze weet zelfs nog goed hoe bang ze als kind was voor de huispsycholoog, een wat oudere heer, die met zijn assistent inwonend was.

Zo glijden de dagen in zoete rust voorbij. Het jaar is bijna ten einde en er worden al weer voorbereidingen getroffen voor de viering van oud en nieuw. De kreet om vrede alom, die de afgelopen dagen overal te horen was, schijnt vergeten te zijn en gelijk met de kerstversiering opgeborgen tussen het engelenhaar en de zilveren ballen.

Diewertje is blij het gewone werk weer te kunnen opnemen. Er gaat, zo vindt ze, niets boven regelmaat en orde in een mensenleven.

En . . . hoe dieper ze de herinnering aan dat ene moment onder de dennetakken weet weg te duwen, hoe beter het is.

Maar al te best lukt dat niet, omdat ze het eigenlijk niet wil vergeten. Eén zoen voor één mens . . . zou ze het daar haar hele leven mee moeten doen?

HOOFDSTUK 12

Het blijft vriezen, het nieuwe jaar heeft een koude start. De winter waart in al zijn grimmigheid over de velden en de weilanden die zo lang hun groene glans mochten behouden. De aarde schijnt toegedekt met een grauwe deken.

Diewertje heeft wat blad als bedekking over haar kruidentuin gelegd. De vaste planten kregen in december de lente al in hun worteltjes.

De bewoners van „De Bruune Hoeve" kunnen zich verheugen over het bezit van de grote kerstboom, die met zijn wortelstelsel in een emmer nog steeds in een hoek van de woonkeuken staat. Diewertje heeft de versiering eraf gehaald en netjes in een doos weggeborgen. De grond buiten is echter zo hard dat er geen kijk op is voorlopig de boom een plaatsje te geven. Hij staat knap in de weg en bezorgt last èn werk. Want Diewertje besproeit dagelijks de stijve takken tegen eventuele uitval. Bezoekers kijken bevreemd op bij het ontdekken van de kamerreus. Zo langzamerhand gaat het kerstsouvenir tot de inventaris behoren . . .

Margje wandelt ondanks de koude, elke dag met de donkerblauwe kinderwagen waarin de kleine Volgers, goed ingestopt, gezonde buitenlucht opdoet. Margje komt tijdens één van deze tochtjes tot de ontdekking, dat ze ongemerkt zacht tegen de baby praat. Een eigen taaltje zoals dat uitsluitend tussen moeder en kind mogelijk is.

Het kan dan buiten wel een barre temperatuur hebben, maar desondanks smelt er om het hart van de jonge boerin het laatste ijskorstje dat haar haar hele leven geplaagd heeft! En weer is het Diewertje die de verandering opmerkt, als éérste. Maar zij zwijgt en alleen haar ogen delen Margje mee dat ze begrijpt, mééleeft!

Margje brengt visites bij oma Anne, die beslist geen opoe genoemd wenst te worden, zoals dat in het dorp nog vaak gebeurd. Gerrit Wickes geniet op zijn stille wijze van deze kinderzegen op zijn oude dag.

Maar ook Mikke Mooi krijgt Erik-Jan vaak te zien. Ze maakt een schitterend doopkleed voor de kleine. Maar Margjes trouwjurk laat ze ongeschonden! Mikke heeft een voorraad prachtige lappen, die ze bewaart voor degenen die haar lief zijn.

Buurvrouw Baank mocht zich eveneens verheugen in een bezoek van haar „naaste”.

Margje wordt er stil van als ze hoort hoeveel Diewertje betekent voor deze vrouw, die als lastig te boek staat.

De Mus . . . maar dan wel een bijzondere, vindt zij. Eéntje die van volhouden weet en degenen opzoekt welke door anderen gemeden worden. Ook ontgaat haar niet de hongerige blik van Hendrik Baank, die als er over Diewertje gesproken wordt niets te raden over laat. Diewertje en Hendrik . . . Zou Diewertjes toekomst op de buurhoeve liggen? Ze besluit er over te zwijgen. De tijd zal het leren.

Buurvrouw vertedert als ze het kleintje ziet. Uit de varkensoogjes siepelen tranen van ontroering. Als ze zelf eens een kleinkind mocht bezitten . . .

Margje moet beloven te vragen of Diewertje nog een uurtje tijd heeft, vanavond, om te komen voorlezen. Haar ogen, zie, die hinderen zo.

Hendrik neemt zich voor, na aandringen van zijn jonge buurvrouw, een afspraak te maken met een oogarts.

Misschien wil Diewertje dan mee, als ze weg kan overdag. Margje stemt toe en beiden denken ze aan de onhartelijke schoondochter, die een eigen leven leidt en haar afkeer van de boerderij niet onder stoelen of banken steekt.

En thuisgekomen kan Margje niet nalaten Diewertje te adviseren: „Toe, Diewer, laat je niet opslokken door buurvrouw Baank! Ze is altijd een veeleisende vrouw geweest, anders dan haar man hoor. Moeder Anne kon nooit met haar opschieten. Nu is ze ronduit zielig, ik weet het. En we hebben een plicht ten opzichte van onze naaste, dat klinkt mooi. Maar je moet het ook kunnen opbrengen en er niet zelf onderdoor gaan!"

Diewertje is verbluft over deze preek. Dat is niets voor Marg! Ze haalt nonchalant haar schoudertjes op. Met een knipoog zegt ze dat ze ook liever met een boek bij de kachel zit dan die moeilijke bezoekjes afleggen.

Het woord kachel doet Margje gealarmeerd uitroepen dat de mannen voor de centrale verwarming overmorgen komen. Hoog tijd dat ze maatregelen nemen en een paar stoelen naar Diewertjes woninkje brengen. „Misschien kunnen we voor een paar dagen gelijk koken, dat is gemakkelijk. Want ook in de keuken zullen ze wel flink gaan knoeien . . . ik zal blij zijn als het klaar is!"

Diewertje vindt toch nog tijd om even op visite te gaan in het buurhuis. Ze heeft een dikke, wollen sjaal om haar hoofd geknoopt en de kraag hoog opgezet. Haar neus prikkelt van de koude lucht en ze duikt weg in de das. Aan de nachthemel fonkelen de sterren of ze met een modern glansmiddel zijn behandeld. Onder haar voeten knappen takjes kapot en poes Blacky begeleidt haar tot aan de deur van buurvrouws huis.

De buitenlantaarn geeft een schel licht en ijspegels hangen

als een zilveren kantwerk aan de rand van het rieten gedeelte van het lage dak.

De deur zwaait open en Hendrik lacht haar breed toe. Hij strijkt door zijn korte haar en Diewertje ziet meteen de dikke, nieuwe ijstrui die hij draagt.

„Kom er maar gauw in . . . de koffie is bijna klaar. Ik heb je wat te vertellen, Diewertje. Toe, wacht nog even met het gaan naar móe . . ."

Hij kijkt zo smekend dat Diewertje automatisch blijft staan. Ze hangt haar jas en sjaal aan een haak. Hendrik werpt een blik op de deur naar de gang. Moe heeft nog niet gemerkt dat Diewertje er is. Hij heeft niet voor niets op de uitkijk gestaan!

„Mijn schoonzus heeft samen met haar broer een erfenis gehad . . . een veevoederfabriekje in het noorden van Groningen! Je had haar moeten zien veranderen! Net gek was ze. En nu, je zult het niet geloven, nu zijn zij beiden van plan naar Groningen te gaan, mijn broer en zij. Samen met die zwager wil mijn broer het bedrijf daar op poten zetten."

Even zwijgt Hendrik. Maar zijn blik houdt die van het meisje tegenover hem vast. Ja, hij legt zijn grove handen zelfs op de tengere schouders. „Diewertje, dat betekent dat ik hier ongedacht eigen baas wordt! Diewertje, wil je dan nú wel met mij trouwen, Diewertje?"

Net een kind, flitst het door Diewertje heen en haar hart loopt over van medelijden. Maar uit medelijden trouwt een mens toch niet? Dat kan Gods bedoeling niet zijn.

De Bijbel spreekt van de unieke liefde tussen man en vrouw. Gods trouw, waarvan de verhouding tussen man en vrouw een afschaduwing behoort te wezen.

Langzaam schudt ze nee. Het kan niet. Het is of er over het gezicht van Hendrik een waas van teleurstelling gelegd wordt die hij niet kan tegenhouden.

Spontaan gaat Diewertje op haar tenen staan en geeft hem een zachte zoen op de prikkelige wang. Een kus van een vrouw aan een kind.

„Hendrik, wij horen niet bij elkaar! Voor jou is er zéker een vrouw weggelegd . . . maar niet ík. Dat denk je omdat ik toevallig in je buurt ben, jongen. Jij hebt een stevige vrolijke vrouw nodig, die je minstens zeven kinderen schenkt. Ik zie jóu best als vader hoor. Je zult een goeie zijn . . ."

Ze hoort zelf dat ze doordraait. Maar ze heeft dan ook geen ervaring in het afwijzen van huwelijksaanzoeken.

„Maar!!!" Hendrik houdt vol. Hij begint bijna te stotteren. „Ik word nu alléén eigenaar, Diewertje! Jij zult niet meer afhankelijk zijn van anderen . . . je zult een eigen huis hebben. Denk er nog eens goed over na, ja?"

Prut, prut . . . zegt het koffieapparaat. Diewertje zucht van opluchting. Flinker dan ze zich voelt zegt ze het nog eens: „Toe, Hendrik, zet het uit je hoofd! Stel je voor dat wij trouwden en op een dag komt de ware Jozefina voor je neus staan. Wat zou je dan dat wat je nu zegt betreuren!"

Hendrik lacht flauwtjes om dat Jozefina.

Hij slikt moeilijk. Hoe graag had hij dat tengere lijfje zijn warmte geschonken. Gekoesterd en vergoed al die eenzaamheid die ze in haar leven ongetwijfeld gekend moet hebben. Zeker was hij geweest dat ze zijn aanbod zou overwegen. Je wordt per slot van rekening niet maar zo boerin van een hoeve als die van hun en hij had, nét als op „De Bruune Hoeve", willen moderniseren. Loopstallen bouwen. Maar nu heeft dat alles geen zin, zonder Diewertje.

Diewertje haast zich naar buurvrouw toe, die al ongeduldig zit te wachten. Hendrik volgt met de koffiepot en Diewertje mag inschenken. Buurvrouw zit vol van het nieuws uit Groningen.

Ze gluurt naar Diewertje. Zou ze . . . ja ja, zíj weet best wat Hendrik in zijn hoofd heeft. Ze kan het plan toejuichen.

Diewertje zou een andere schoondochter zijn als die stijve madam waar haar oudste zoon mee getrouwd is!

Als Diewertje later op de avond door de koude nacht haar weg naar huis zoekt, is ze gevoelloos voor de temperatuur en blind voor de klare nacht. Het woelt in haar binnenkamer. Als Meinte er niet geweest was, de gevoelens van liefde haar onbekend waren, misschien dat zij dan haar sympathie voor Hendrik aangezien had voor het echte.

Ze duwt de deur van de voormalige schuur open en tot haar verbazing heeft ze een gaste.

Nora rijst op uit de enige luie stoel die Diewertje rijk is. Ze strekt traag als een kat haar armen boven het hoofd uit.

„Hè hè! Meid, ik dacht: díe komt vanavond niet meer thuis. Maar ik kan jou toch moeilijk zien als de geliefde van Hendrik Baank, dus ik bleef maar wachten. Marg zei dat je het nooit zo laat maakte, zodoende . . ."

Diewertje knikt.

Nora zet een fles sherry op tafel, die ze zelf heeft meegebracht. Diewertje kijkt zuinig. Een borreltje hoeft van haar niet zo nodig. Maar Nora heeft al twee glazen ingeschonken en verdrietig bedenkt Diewertje dat ze misschien wel iets te vieren heeft. En dient zij, Diewertje, uitsluitend als een klankbord. Het zou niet de eerste keer zijn.

Ze besluit Nora voor te zijn. Moedig neemt ze een grote slok van de droge sherry waarin ze zich bijna verslikt en zodoende niet de gespannen uitdrukking ziet op het gezicht van de verpleegster.

Met de tranen nog in de ogen en een scherp gevoel in de keel zegt ze met een vreemde stem, nagemaakt vrolijk: „Zo, jij komt me zeker uitnodigen voor de bruiloft? Als je maar weet dat ik te oud ben voor bruidsmeisje, hoor!"

Hup, nog maar een slok. Het vocht spat op tafel en het glas laat een lelijke kring achter.

Nu komt Nora's stem, triest en moe.

„Nee, ik gaf wat als het waar was, Diewertje. Nee meid, ik zie het niet meer zitten."

Diewertje laat haar half lege glas zweven tussen de tafel en haar mond. Hm?

Nora zucht diep. „Ik weet niet met wie ik hierover kan praten . . . mijn collega's mogen me niet zo, weet je. En de directrice is één en al veroordeling. De berispingen heeft ze voor in de mond liggen. Ach, en jij bent zo'n nuchtere mus, ik dacht: beter de Mus dan niemand!"

Het ontgaat Nora geheel dat haar woorden kwetsend zijn. Daarom slikt Diewertje ze dan ook maar gelijk met de sherry weg. De Mus.

„Hou je dan niet meer van hem?" Diewertje brengt het niet op om nu Meintes naam te noemen. Dat hoeft ook niet, Nora begrijpt haar zo ook wel.

Gekweld komt ze: „Ja en nee . . . dat is het nu juist meid! Ik ben gek op hem, wil alles voor hem zijn. Maar trouwen . . . die gouden ring knelt me al vanaf het éérste moment dat ik hem draag. Trouwen is houwen en jij weet hoe ik daar over denk. Van een heilig huwelijk hebben wíj niet veel goeds gezien!"

Aarzelend komt Diewertje met de vraag of Nora niet beter haar hart uit kan storten bij mevrouw Boele. Maar nu lacht Nora hard. Janna Boele, haar eventuele aanstaande schoonmoeder? Die is wel de laatste waar ze nu mee kan en wil spreken. Nee, ze moet het zelf klaren.

„Kijk, Meinte wil trouwen, en op korte termijn. Ze gaan de praktijkruimte al gauw verbouwen. Dan het huis . . . O, Diewertje, ik kán niet mezelf opsluiten in dat lamme huis. Ik weet zeker dat zo gauw we 'ja' hebben gezegd, voor mij de spanning er af is. Ik heb Meinte voorgesteld om het zó te proberen . . . dat hoor je tegenwoordig toch geregeld. In alle kringen hoor, en hou je maar niet van de domme! Maar daar komt hij tegen in opstand. Hij zei letterlijk: 'Nora, ik houd van jou, maar ik wens een húwelijk aan te gaan. Niet omdat dit hier een conservatief dorp is, niet omdat moeder dat van mij verwacht. Maar omdat ik recht tegenover God wil staan en de Bijbel leert ons' . . . enfin, de rest kun je wel raden. En nu moet ík kiezen! Hij heeft mij de keuze gelaten. Uitmaken en ophoepelen of: 'mevrouw Boele' worden. Hij zei óók nog: 'Als jij wegloopt, dan kijk ik je nooit meer aan en voor mij zal er óók geen andere vrouw meer zijn.' Zo zijn we uit elkaar gegaan! En nu vraag ik je . . . wat moet ik doen?"

Het is doodstil in de intieme ruimte. Het wordt Diewertje bijna teveel. Wat een problemen en dat op één avond.

„Maar Nora . . . als je toch van hem houdt! Dat zeg je zelf. Wat is dan logischer dan te trouwen! Denk je heus ooit een betere man tegen het lijf te lopen dan Meinte? Ik ben bang dat je spijt krijgt als je het uitmaakt. Bovendien maak je hem ongelukkig!"

Nora haalt haar schouders op. En Diewertje bedenkt dat Nora altijd sierlijk blijft. Of ze nu boos, verdrietig of blij is.

„Houden . . . Ik heb wel vaker . . . nou ja. Meinte is de éérste niet! 'k Geef toe dat hij een beste partij is. Hij heeft alles mee. Een baan, leuke vent om te zien, aardig huis . . . Maar dan is het afgelopen met míjn leven, snap je? Altijd rekening houden met die eeuwige ander. Verantwoordelijk zijn voor elkaar. Rekenschap afleggen van alles. Ik wil geen Nora Boele zijn, maar mezelf blijven, snap jij dat dan óók al niet! En ben jij vergeten wat wij gezien en gehoord hebben op 'Dalenk'? Echtscheidingen . . . kapotte kinderen omdat vader en moeder een tijd geleden zo nodig wilden trouwen en kindertjes krijgen. Als ik aan mijn pleegvader denk! En jij weet niet wat voor schat moedertje was . . . van haar hield ik zoveel. Ze beschermde haar man nog op haar sterfbed. Probeerde mij begrip bij te brengen voor het feit dat hij een vrouw nodig had. Báh!"

Dat laatste komt er hartgrondig uit.

Nora schenkt de glazen nog eens vol. Ze heeft duidelijk al meer gedronken voor Diewertje kwam. Want zo loslippig heeft Diewertje haar nog nooit meegemaakt.

Is zij wel in staat om Nora te helpen? Kom, nu moet ze even vergeten dat de man die zij zelf liefheeft in het spel is. Even afstand nemen.

„Nora, je zit met jezelf in de knoop! Het gaat veel dieper dan je denkt, geloof ik. Al die verhalen over vroeger. Het was toch ook een verzameling ellende bijeen. Als je in de nieuwbouw huis aan huis gaat informeren of er huwelijksproblemen zijn zul je anders uitkomen en ook heel wat gelukkige, normale gezinnen aantreffen. Je mag niet spotten met het woord liefde. Het gaat erom of je genoeg van Meinte houdt. Is dat wél het geval, dan trouw je rustig en dan zie je wel wat er komt. Hou je niet genoeg van hem, dan maak je het uit. Dat is voor jullie beiden het beste. Je wilt hem toch niet verleiden om een relatie aan te gaan waar hij niet achter staat?"

Fel springt Nora op die laatste woorden. „En ík dan . . . mag hij mij wel dwingen tot een váste relatie? Er zijn twee mensen en twee meningen, Diewertje!"

Buiten miauwt een poes, die de warmte prefereert boven de koude vriesnacht en automatisch staat Diewertje op. De koude luchtstroom die naar binnen zweeft is als een koele vinger, die de beide jonge vrouwen tot kalmte maant.

Nora pakt de fles en drinkt het restje er zo uit, zich niets aantrekkend van de afkeuring in Diewertjes gezicht.

„Mus, Mus, nu denk je minstens dat dit een gewoonte is, ik zie het aan je gezicht! Rustig maar, dit is een uitschieter! Ik geloof dat ik er al wat uit ben. Ja, je hebt me wél geholpen. De dingen staan nu op een rij. Het leven is een weegschaal, meid. Je stapelt op de ene kant wat je wilt en op de andere kant wat je kunt. Slaat hij door naar de wil, wel, dan gehoorzaam je die. Maar wordt het 't kúnnen, dan gaat het anders. Nu ga ik doen wat ik kan. En niet wat ik wil. Ik zou willen trouwen en diep in Meintes armen levenslang wegkruipen. Maar dat kan ik niet. Ik wil zelf leven, met of zonder man. Soms met en soms zonder. Misschien krijg ik spijt, later. Nu is het 't beste dat ik een punt achter de affaire zet. Anders wordt het te spannend. Een beetje flirten, een zoentje. Leuk hoor. Samen praten, over de toekomst fantaseren. Ook leuk. Maar dán, dan wil je verder, Mus. Zo gaat dat in het leven. We zijn geen zestien meer. En dus wil híj trouwen, deze zomer. Ach, Diewertje, mag ik even op je schouder uithuilen?"

En Nora voegt de daad bij het woord. Diewertje streelt het geblondeerde haar. Ook in haar ogen blinken tranen. Tranen voor Nora en vooral voor Meinte, die een zware klap zal gaan krijgen.

Maar óók tranen voor haar zelf, omdat zíj niet in staat zal zijn Meinte ook maar één woord van bemoediging te mogen schenken.

Nora heeft haar besluit genomen. Ze neemt ontslag op „Zonneheuvel" en verbreekt radicaal haar verloving. Via Thomas Rinzema laat ze zich in contact brengen met een arts die mensen zoekt voor zijn team dat in Afrika zal gaan werken.

Meinte komt bijna niet meer in het dorp, hij werkt als een bezetene aan het laatste deel van zijn studie.

Iedereen heeft met hem te doen. Aan Nora wordt haast niet gedacht, alleen Diewertje en Klaas vergeten haar niet in hun gebeden te gedenken.

Janna Boele heeft zelfs moeite om haar opluchting niet te laten blijken. Nora in het dierenartshuis, dat was toch nooit goed gegaan? Nee, Meinte moet nog maar kalm aan doen. Genieten van zijn vrijheid.

Diewertje helpt Nora ongevraagd haar spullen te pakken. Hoe kort geleden was ze nog enthousiast als een kind bij het betrekken van de woning van Klaas?

Eén verzoek heeft Nora, die als een pijl Diewertjes hart raakt: Of Diewertje voor Klaas wil zorgen . . . af en toe met hem wandelen als de lente ooit nog komt, tenminste.

Dat is de andere kant van Nora, die niemand schijnt te kennen. Diewertje belooft het haar grif.

„Als jij niet vergeet om af en toe aan mij te schrijven, Nora. Hoe het met je gaat. Echt met je gaat. Aan reisverslagen heb ik niets hoor, die kan ik wel in de kranten lezen of op de TV zien. Ik wou dat ik wat voor je kon doen!"

Ja, het wonen op huize „Dalenk" heeft toch ergens een zusterlijk gevoel gegeven. En Diewertje ontdekt in deze dagen dat háár vertrouwen omtrent een echt huwelijk niet geschonden is. Al weet ze zeker dat ook zij nooit zal kunnen trouwen, nu Meinte gekozen heeft voor een leven in eenzaamheid. Hij blijft voor haar de man van Nora.

Margje spijt het dat de kleine woning weer leeg komt te staan. Of Diewertje daar niet liever in wil wonen dan in het verbouwde schuurtje? Maar Diewertje beweert honkvast te zijn. Voor haar geen verhuizing. Margje moet maar zien zomergasten te krijgen. Vakantie in eigen land is ín. Op die manier kan ze nog een centje bijverdienen en welke boer kan dat niet gebruiken?

Ja, dit jaar is niet als een sprookje begonnen. Hendrik die een blauwtje gelopen heeft en een kapotte verloving. „De Bruune Hoeve" overhoop in verband met de centrale verwarmingaanleg. Een winterse koude als decor.

Diewertje is niet de enige die zich afvraagt: „Zou het eigenlijk ooit nog wel lente worden?"

HOOFDSTUK 13

Het wordt vol in Diewertjes kleine woning, zo samen met het gezinnetje Volgers.

Gelukkig ontbreekt er niets aan de goede verstandhouding. Diewertje wordt meer als lid van de familie beschouwd dan als hulp in de huishouding.

Tot wanhoop van Margje halen de mannen die de aanleg van de verwarming verzorgen „De Bruune Hoeve" helemaal overhoop.

Ja, nu kun je tóch nog best merken dat Margje lang niet dezelfde is van voorheen.

Vroeger zou ze de mannen op de vingers gekeken hebben, als het kon ze raad hebben gegeven ... Nu kruipt ze liever weg in een hoekje, met de baby.

Diewertje schudt haar hoofd. Wacht maar, als het echt lente is. Dan zal Margje wel helemaal opknappen, zo redeneert ze. Dokter Huisman heeft niet voor niets gewaarschuwd voor de ups en downs.

En over een week of twee zal Erik-Jan gedoopt worden in de oude dorpskerk. Ook die gedachte windt de jonge moeder op. Al die drukte, al die visite. Terwijl het toch zo'n mooi gebeuren is, waar geen bijgedachten in thuis horen.

Diewertje omgeeft haar met een moederlijke zorg en ongemerkt neemt ze zoveel mogelijk uit de handen van de boerin. Zij is het die het manvolk ruimschoots van koffie en koek voorziet, zich doof houdend voor de plagerijen aan haar adres. Maar ook zíj zal blij zijn als ze met de bezem door de hoeve kan en alles weer bij het oude zal zijn.

Het arbeidershuisje van Nora staat leeg, als een dood ding in de winterkoude. Diewertje heeft hele plannen ontwikkeld om er zomergasten in te laten trekken. Het is zo half en half gemeubileerd, rustig gelegen en toch vlak bij de hoeve. Vakantie bij de boer is tegenwoordig volop in trek. Zijzelf zullen weinig hinder ondervinden van de vakantiegangers, zo redeneert ze. Maar Margje ziet op tegen het extra werk dat éérst verricht zal moeten worden. Daarom klopt Diewertje bij Christiaan aan, die er wel oren naar heeft. Een extra bron van inkomsten kunnen ze best gebruiken. Diewertje moet maar eens een lijstje maken van de dingen die zij denkt dat er nog nodig zijn om er een vakantieplaats van te maken. Margje zal haar toestemming heus wel geven.

„Ze knapt wel op", zegt Christiaan met een rimpel tussen zijn wenkbrauwen, „maar het gaat met horten en stoten. We moeten haar nog maar ontzien, wat jij, Diewertje?"

Zijn ogen rusten met vriendelijkheid op haar. Die kleine mus met haar trouwe aard. Hier is het op den duur toch geen plaats voor haar? In de schaduw van het geluk dat hij en Margje hebben, daar koestert ze zich als een katje. Ze heeft wel meer in haar mars dan huisvrouwtje spelen en de kippen verzorgen. Zoals ze omgaat met die kinderen van „Dalenk", met Erik-Jan. Als Marg weer de oude is, zal hij het eens aankaarten bij Janna, misschien weet díe iets. Of: zou ze graag met die tante mee willen naar Australië? Dat zou hem reusachtig spijten! Diewertje is een persoontje dat je pas waardeert als ze weg is, zo schijnt het hem toe. Dat hebben zij aan den lijve ondervonden!

„Bel jij de veearts maar eens voor me op, Diewertje. Er is iets niet in orde met het kalfje dat gisteren is geboren, weet je wel?"

Diewertje baant zich een weg over buizen en gereedschap, negeert dubbelzinnige grappen van de mannen en trekt de deur van de gang achter zich dicht.

Het nummer van Hijma kent ze zo langzamerhand uit haar hoofd. Maar als het niet de stem van de veearts zelf is, doch die van de man die voortdurend in haar gedachten huist, moet ze even slikken voor ze haar naam kan noemen.

„Halló, met wie?" Het klinkt geprikkeld, zo kent ze Meinte niet. „Ik . . . Diewertje van 'De Bruune Hoeve' . . . eh . . . Er is iets met een kalfje en Christiaan vroeg . . ."

Ze stotterde haar verhaal af en Meinte belooft langs te zullen komen, meteen na het spreekuur.

De hele ochtend loopt ze op spitsroeden. Ze verrekent zich in het bedrag dat een eierklant moet neertellen en boven de mand met de te schillen aardappels droomt ze weg. Wat Meinte nu in vredesnaam toch bij Hijma doet, nu al.

Ze hoeft niet lang te wachten op antwoord. Met een woeste vaart rijdt hij korte tijd later in Hijma's wagen het erf op. Op zijn hoofd draagt hij een geruit hoedje en boven zijn ribbroek, die in stevige laarzen is gepropt, een legerkleurig jasje. Diewertje huivert, ze is niet in staat de rilling die over haar ruggegraat siddert te bedwingen. Meinte, en hoe hij kijkt! Nors, afwerend. Waar is de vrolijke jongeman in hem gebleven?

Christiaan brengt hem een kwartiertje later binnen. De mannen voeren een stroom koude met zich mee.

„Zo Mus, het is geen weer om op het dak te gaan zitten kwinkeleren, wat jou?" Wat een grapje had moeten wezen klinkt als een zinnetje zoals je dat tegen een kind zegt, dat je niet wilt betrekken in je gedachten.

Hij drinkt hoorbaar van de hete koffie die Margje hem brengt. Tussen twee happen koek door vertelt hij dat Hijma een stevige griep heeft. De nieuwe griep die ontstaat door een tamelijk onbekend virus. Volgende week had hij een feest willen geven ter gelegenheid van zijn laatste examen. Ach, een feest. Daar heeft hij nu geen reden voor. En Diewertje gluurt naar zijn linkerringvinger. Wat zou hij met de ring gedaan hebben? En Nora . . . ach, Nora toch, wat héb je gedaan?

Meintes stem is hard en zijn anders zo open gezicht is een gesloten huis. Ook Margje werpt een bezorgde blik op hem. Het zat bij hem toch dieper dan bij dat meisje, denkt ze. En dankbaar is haar hart, vól opeens voor wat zij en Christiaan samen hebben.

„Hè, het is hier behaaglijk in dit mussennest! Warm . . . waar is de kleine boer?"

„Haal hem maar, Diewertje, het is tijd voor zijn vruchtesap." Margje knikt naar haar hulp en neemt de koffiepot uit haar handen. „Ik zal wel even . . ."

Diewertje verdwijnt met graagte in het kleine hokje waar Erik-Jan overdag zijn slaapuurtjes doorbrengt. Hij is al wakker en Diewertje kijkt vertederd naar het spel van zijn kleine handen. De vingertoppen past hij zorgvuldig tegen elkaar en als dat lukt kraait hij van plezier. De laatste tijd is hij minder huilerig.

Zo gauw hij Diewertje ontdekt is het uit met het spel en een lachje lokt haar dichterbij. Even is het allemaal vergeten. Nora, die nu zo ver weg is. Meinte met dat masker op zijn gezicht. Haar eigen ontwaakte hart.

„Schatje dan toch . . . ben jij al zo wakker? Hier is Diewe, die zal jou eens gauw een schone broek maken, want ik geloof dat dát geen overbodige luxe is. Kom maar, kleine man! Nee! Niet aan mijn haar trekken, bengel! Begin jij nu al de vrouwen te versieren?"

Met het kind op haar arm, losjes in een dekentje gewikkeld, komt ze de kamer weer in. Even rust Meintes blikken op dat tafereel, oud als de wereld. Een vrouw met een kindje. Nora met een baby van hen beiden. De mooie Nora, een siervogel die weggevlogen is. Zich niet in een kooi liet vangen. Wat zei ze tegen hem? „Ik ben geen mus . . . ik heb de vrijheid in de ruimste zin van het woord nodig!"

Diewertje zet Erik-Jan bij Margje op schoot.

„Als het kindje binnenkomt, juicht héél het huisgezin! Dat zeggen ze tenminste, maar jullie doen dat wel erg zacht!" komt Diewertje vlot voor haar doen.

„Ik sta verbijsterd", verdedigt Meinte zich. „Ik wist niet dat dat jonge spul zo hard groeide! Wat voeren jullie hem?"

Margje beweert dat het de lucht, de boerenlucht is die hem goed doet.

Even later zit een voldane Erik-Jan in zijn wipstoeltje, zijn mollige handjes graaien naar de beer die Christiaan hem voorhoudt en zijn hoofdje schokt vooruit om te zoeken naar dat éne bere-oor, waar het zo goed is om aan te sabbelen.

Even flitst het jongensachtige door Meintes wezen en hij hurkt naast de baby, die nu de kraag van zijn met bont gevoerde jasje verruilt voor het oor van de beer.

„Hij vindt je jas belangrijker dan jijzelf!" flapt Diewertje eruit. Meinte schudt zijn hoofd. „Nog brutaal ook jij, maar ja, wat wil je? Het spreekwoord zegt niet voor niets: zo brutaal als een mus!"

Als hij met de hoed in zijn hand even later bij de deur nog even omkijkt, legt Margje haar beide handen op zijn mouw. Met haar blauwe, vriendelijke ogen houdt ze even zijn blik vast: „Weet je wat jíj nu eens moest doen, joh? Volgende week is 'De Bruune Hoeve' weer op orde . . . dan moest jij zo af en toe eens komen praten met Christiaan. Net als vroeger, weet je nog wel? Wij zijn nogal op ons zelf, we hebben niet veel behoefte aan conversatie. Dat weet je, we zijn er óók te druk voor. Maar jij, wèl, je hoort er toch zo'n beetje bij! Toe, doe het. Dat is voor Christiaan ook gezellig. Kom dan als Diewertje en ik naar zang gaan . . . dan heb je geen hinder van kwekkende vrouwen!"

Meinte duwt het hoedje scheef over zijn hoofd. Warm klinkt nu zijn stem. Hij legt een brede hand op die van Margje en knikt haar toe. Vreemd, zo'n hartelijk woord doet hem een brok in de keel schieten.

Christiaan pakt zijn pijpje uit de asbak en propt zijn rookartikelen in zijn broekzak. Achter Meinte beent hij naar buiten. Margje en Diewertje kijken hen zwijgend na, staand voor het kleine stalraam.

„Hij is flink kapot!" zucht Margje. Het is ook wat als je ál je liefde in een relatie stopt. Een relatie die geen levensvatbaarheid blijkt te hebben gehad. Diewertje wringt haar handen inéén en één ogenblik mag Margje haar binnenste peilen.

Ze schrikt er van. Nog meer verdriet om een ander! Maar Diewertje is nog zo jong! Wat heeft die nou voor levenservaring? Goed, ze is een half jaar naar Duitsland geweest. Daar heeft ze zo ook het één en ander meegemaakt. Maar vergeleken bij Nora is ze toch een – ja, wat? Een mus? Een mus die niet kan zingen! Het zal wel waar wezen, kom! Diewertje zingt als een lijster mee met haar koortje. Ze is er de ziel van.

Margje besluit het probleem Diewertje uit haar hoofd te zetten, als dat tenminste lukt. De tijd heelt vele wonden. En ook uit negatieve ervaringen kun je voor je hele latere leven iets leren. Het positieve komt er zelfs soms uit voort!

„Kom, Diewer, we zullen eens wat gaan doen! Wat zal ik blij zijn als die verwarming klaar is!"

En die verwarming komt eerder klaar dan ze dachten! Alleen de rommel is voor hen. Maar dan, in zulke tijden, is Diewertje op haar best, die knoopt gewoon één van de oude schorten van moeder Anne voor en zwoegt net zo lang tot de hele hoeve weer blinkt en straalt als de voorplaat van een Hollandse kalender. Margje slaat haar af en toe ademloos gade. Zíj mag dan haar kwaliteiten als „boer" hebben, in huis is Diewertje haar meerdere. Alleen al dat organisatietalent. Ze is nóg Klaas dankbaar dat hij indertijd met Diewertje op de proppen kwam!

Het is heerlijk warm in huis, nu. De slaapkamer, de gang en het toilet. Boven, in de doucheruimte en in de kleine slaapkamers, overal komt de warmte je tegemoet. Er gaat een leiding naar de kippenhokken, zodat er nu met minder risico kuikens opgefokt kunnen worden. En – nu is Diewertjes woning aan de beurt en trekt zíj in bij haar werkgevers.

„Ik zal blij zijn als die kerstboom eindelijk het huis eens uit kan!" zucht Diewertje dagelijks. Het ding verhuist van de stal naar de woonkeuken, maar overal staat hij in de weg. Gelukkig ziet hij er nog goed uit en Christiaan staat erop dat het groene gevaarte uitstekend verzorgd wordt: de eerste kerstboom in het leventje van hun zoon krijgt binnenkort een ereplaats in de tuin. Vlak bij het huis, dan kunnen ze volgend jaar daar kaarsen in doen. Dat staat feestelijk, een verlichte kerstboom in de tuin. En daar hebben ze zich dan maar aan te houden.

Christiaan, die nu minder druk is dan in de zomermaanden, trekt er met een tegenstribbelende Margje op uit om te gaan schaatsen op het bevroren water van het kanaal. Per slot van rekening mogen ze nog wel iets profijt van die strenge winter hebben!

Trouwens, ook Diewertje gaat op zoek naar haar kunstschaatsen. Ze werkt 's ochtends extra snel en gaat dan met Erik-Jan in de wagen naar „Dalenk", waar de jeugd op de grote vijver achter het huis dolle pret op het ijs heeft. De baby wordt bij Janna in de serre geparkeerd en Diewertje voelt zich weer het kleine meisje dat ze eens was.

De kinderen van haar groepje glijden en slieren achter haar rappe benen aan. Ze wordt het niet moe veters opnieuw te strikken en koude handjes warm te blazen.

Janna kijkt toe vanachter het venster. „Moedertje, in hart en nieren!" Ze stelt het voor de zoveelste maal vast. Zie nu eens wat een blossen op dat anders bleke gezichtje. Het gladde haar wappert speels om het rode mutsje. Een „bloze kriek" is ze nu. En met bezorgdheid in haar hart denkt ze aan het bezoek dat tante Stien uit Australië wil komen afsteken! Kon ze dat maar verhinderen! Het maakt maar onnodige dingen los uit een ver voorbije tijd. En, wie is daarmee gebaat! Wat heeft Diewertje eraan als ze ervaart dat haar moeder . . . „Mevrouw Boele! Er is iemand gevallen! Helpt u even?"

En Janna haast zich naar de kleine brokkenmaker toe, die met betraande wangen en een zere voet op een keukenstoel zit, vlak naast het enorme fornuis waarop dagelijks de maaltijden van de bewoners worden bereid.

En Diewertje wordt weer naar de achtergrond geschoven. Ach, ze is immers maar een onopvallend meisje, iemand waar nooit lang aan gedacht wordt.

Een mus, zoals er zoveel zijn.

Meinte heeft nu voorgoed zijn intrek genomen in het huis naast de woning van de familie Hijma. Zo gauw de vorst achter de rug is zullen bij leven en welzijn de bouwplannen verwezenlijkt worden. Dan krijgt de werktekening gestalte. De plannen die Meinte samen met Nora op papier heeft gezet . . .

Het is een hard gelag voor de beginnende veearts, die teleurstelling. Vooral nu deze samenvalt met het aanvangen van zijn nieuwe bestaan, dat hij zo anders gedacht had.

Menigeen denkt dat het niet méér is als gekwetste trots, een tijdelijk zeer. Er zullen andere meisjes komen, zo redeneert men, en die mooie pop uit „Zonneheuvel" zal snel in het vergeetboek raken. Maar wie zó spreekt, kent Meinte niet echt. Hij heeft een harde kop, het is nu eenmaal een rechtlijnig denker. En Janna Boele zou kunnen vertellen dat hij die eigenschappen van zijn vader heeft geërfd. Gelukkig is daar het werk, dat hij met alle liefde doet. En de Hijma's zijn zachtmoedige vrienden, die hem niet plagen met belerende toespraken.

Maar zijn privéleven is danig in de war. De jongen is man geworden. En hij denkt zeker te weten, dat hij nooit meer zal kunnen of willen liefhebben.

Margje belt hem tijdens het spreekuur op met de dringende

vraag of hij zondag, als Erik-Jan wordt gedoopt, álsjeblieft wil komen. Waarom? Omdat hij erbij hoort!

„En als je het hart hebt weg te blijven, verlies je de klandizie van 'De Bruune Hoeve'!" dreigt ze.

Lauwtjes belooft Meinte het en als hij de telefoon neergelegd heeft schaamt hij zich meteen. Enfin, een potje schelden op jezelf kan geen kwaad!

De griep van collega Hijma heeft een onaangenaam staartje. De benauwde hoest weet van geen wijken. De huisarts adviseert een nader onderzoek door een specialist en als hij de uitslag krijgt, zijn ze er niet zo gelukkig mee.

Eén van de longen is flink aangedaan en voorlopig moet hij rusten en zich streng aan de regels houden die de artsen hem voorschrijven.

Het enige pluspunt in dezen is dat Meinte het nu zó druk heeft, dat hij weinig of geen tijd voor prakkizaties overhoudt. 's Avonds valt hij als één bonk vermoeidheid in zijn bed.

Moeder Janna krijgt haar zoon niet vaak te zien. Wat voor haar een teken aan de wand is. Vroeger, als kleine jongen was hij al zo; in benarde situaties trok hij zich terug óf dook hij tussen de kinderen van het tehuis. En nu is het dan wéér zo ver. De vrolijke student, die zo graag zijn moeder een bezoek bracht, haar plaagde met van alles en nog wat, verwende met bloemen of een cadeautje, heeft plaats moeten maken voor een ernstig kijkende dierenarts, die met de dag magerder wordt.

Op de zondag dat Erik-Jan wordt gedoopt, zit hij heus achter in de kerk. Het hoofd tussen de schouders gedoken en de jagersjas die hij vorig jaar pas aangeschaft heeft, hangt om zijn schouders.

Mikke Mooi strompelt naast hem de bank in. De bruine karbonkelogen nemen hem onderzoekend op. Ze knikt hem hartelijk toe. Ja, ze is van allerlei gebeurtenissen in het dorp prima op de hoogte. Daar zorgen de praatgrage klanten, „de clientèle", zoals dat tegenwoordig heet, wel voor.

Diewertje staat met haar kleine zangers in een hoekje, tussen de preekstoel en het doopvont in. De kinderen rekken hun nekjes en wiebelen heen en weer om te zien of ze bekenden ontdekken, maar vooral óók om gezien te wórden.

De dorpelingen beschouwen het tengere meisje van „De Bruune Hoeve” zo langzamerhand als één van hen, al is Diewertje zich van die status niet bewust. Vooraan, op een daarvoor bestemde rij banken, zitten de bewoners van „De Bruune Hoeve”. De doopouders en hun familie.

Hoe kort is het nog maar geleden dat men bijéén was om een ander kindje ten doop te houden, een Margaretha. Toen was het Margje die haar nicht en naamgenote mocht dragen. Nu staat ze daar zélf als moeder.

Meinte schuift op de harde bank heen en weer. Het is dat hij het Marg beloofd heeft om te komen, ánders . . . Het is hem of Nora er vandoor is gegaan met al zijn vastigheden. Zijn geloof, het zelfvertrouwen in de toekomst, de levenslust. En hij is achtergebleven met de puinhopen!

„Meinte!”

Hij heeft niet ééns gemerkt dat zijn moeder gehaast naast Mikke in de bank is geschoven. Haar gezicht is rood van het jachten, haar ogen tasten zoals alleen een moeder dat kan, het gezicht van Meinte af.

Zuchtend rommelt ze in haar tas. Leesbril, Bijbel en het liedboek. Haar bril beslaat en licht geërgerd zoekt ze naar een zakdoek. Mikke stopt haar een naar eau de cologne geurend doekje toe en een dankbare glimlach is haar beloning.

„Wat een samenraapseltje mensen zijn we toch zoals we hier zitten”, overpeinst ze, terwijl ze met een natgemaakte vinger het juiste lied opzoekt.

Een samenraapseltje. Meinte, met zijn chagrijnige kop. Mager in de jas, gebogen schouders. Terwijl hij in de kracht van zijn leven is. Wat een tegenstelling met Mikke, die met haar gekromde rug zeker niet gemakkelijk zal zitten. Maar dat is niet te zien aan haar ogen, die glanzen alsof er een licht achter brandt. En zij, Janna Boele. Eenzaam, maar zo zelden alleen! „Ja, als mens begrijp je niet dat God nog met ons te doen wil hebben”, zo mijmert ze verder. Om alles. Onvolmaakt in ons uiterlijk, onvolmaakt in ons gedrag, onvolmaakt in . . . alles! Dan overstroomt de dankbaarheid haar om Die Ene Vólmaakte, achter Wie wij mogen gaan, zoals we zijn . . .

Echter, dit uur kent enkele volmaakte momenten, heilige

ogenblikken. Wordt er niet een kind opgedragen in Zijn Naam? Voorgesteld aan de gemeente als een nieuweling, die erbij mag horen?

Janna concentreert zich op de doopouders. Margje, die ook diepe dalen heeft gekend, zoals Meinte, haar jongen nu.

Het orgel zwijgt en Diewertje zingt met haar groepje. Janna veegt steels langs haar ogen. Het is of haar hart bidt voor het meisje dat nu bezig is een volwassen vrouw te worden. Is zij, Janna, niet te kort geschoten in de opvoeding van Diewertje? Zal ze het redden . . . ook als die tante uit Australië haar rust komt verstoren . . . De preek lijkt wel voor háár gemaakt, schijnt het haar toe. Loslaten is het thema, óók je kind, zo gauw het zelfstandig functioneert. Alleen in het gebed mag je het blijven dragen, tot je laatste snik.

Ja, als je alles in het leven eens van te voren wist!

Meinte brengt na afloop Mikke naar „De Bruune Hoeve", Janna belooft er op haar fiets meteen ook naar toe te rijden. Diewertje zal best een paar extra handen kunnen gebruiken!

HOOFDSTUK 14

Het blijft winteren. Af en toe valt er een vers laagje sneeuw, die de vuile resten van de vorige buien met zorg lijkt toe te dekken. Aan de kanten van de wegen liggen echter harde ijsklompen, bonken bevroren sneeuw die door de schuivers van de gemeente opzij zijn geduwd.

„De Bruune Hoeve" lijkt meer dan ooit een plaatje. Aan de randen van het rieten dak hangen vuistdikke ijspegels en het rode randje dakpannen, boven langs de kap lijkt een door een kinderhand getekend lijntje. Op de oude hooiberg ligt een dikke witte muts van sneeuw, evenals op de pereboom voor het huis. Het is niet te geloven dat over enkele maanden de boom zich met witte bloesem zal tooien in plaats van met sneeuw.

Christiaan houdt ijverig het pad en de oprit schoon. Wat is hij dankbaar dat hij het plan om verwarming aan te laten leggen, er heeft doorgedrukt!

Ook in het woninkje van Diewertje is het nu behaaglijk. Zo hard als díe toch werkt! Alsof het haar eigen huis is. Ze gaat stilletjes haar gangetje, schijnbaar onverstoorbaar. Toch is Christiaan niet blind voor dat trieste trekje om haar mond, als ze denkt dat niemand op haar let.

Stapel is ze op hun jongen. Het kind zou warempel niet weten wie meer om hem geeft, de moeder of Diewertje! En zoals ze telkens weet Margje uit de put te halen, haar het werk uit de handen nemend op een manier die nooit kwetsend is.

Margje heeft gelijk: ze is veranderd, die mus van hen. Wat breder geworden, het prille is van haar gezichtje af. Ze hebben haar van meisje tot vrouw zien groeien, beseft de boer opeens.

Dat doet hem denken aan zijn schoonmoeder. Moeder Anne heeft zo van die vaste uitdrukkingen waarmee ze, wijs knikkend, de feiten kan onderstrepen. „Leven is veranderen" is één van haar vaste gezegden.

Dat zal hij in gedachten houden als Meinte vanavond komt! Niemand zal dat beter weten dan hij zelf! Ach, mocht die jonge vriend van hem toch ook eens vinden wat hij heeft geschonken gekregen!

Christiaan stompt met de berkebezem op de bevroren grond om de sneeuwresten eraf te schudden. Hij slaat met een gemakkelijke zwaai alsof het ding van riet is gemaakt zo licht, de bezem over zijn schouder. Zijn blik dwaalt even over het landschap, naar hun huis. Achter de geraniums staat zijn vrouw met hun kind op de arm. Margje heeft een tedere glimlach om haar mond.

Een ogencontact op afstand. Als een streling.

Fluitend en energiek lopend vindt Christiaan zijn weg naar de stal.

„Als de dagen lengen, gaan de nachten strengen!"

Margje zucht ervan. Trouwens, die zucht geldt meer de kerstboom-in-de-pot dan de temperatuur daarbuiten, al heeft het één wel met het ander te maken. Dooide het maar, dan kon die sta in de weg eindelijk naar zijn toekomstige plaatsje.

„Hij mag wel bij mij!" biedt Diewertje goedig aan. Ze trekt een wollen mutsje over haar gladde haren. In haar ene hand heeft ze tas en handschoenen, in de andere de map met de muziekpartijen die ze vanavond op de wekelijkse oefening zullen zingen.

Margje schudt haar hoofd. Zal je Christiaan zien! Die wil zijn boom niet eens missen, overdrijft ze. Als het zo doorgaat kan-ie blijven staan tot de volgende kerst!

Margje hult zich in een kort bontjasje, afdankertje van zus Ine. Het staat haar chique, meent Diewertje oprecht. Zonder jaloezie.

„Kom, dan gaan we... Christiaan, je redt je wel met de koffie en zo, hè? En als Meinte soms een biertje wil, in de kelder staat nog wat. O ja... kijk je ook nog af en toe naar Erik-Jan? Ik verbeeldde me straks dat hij wat warm aanvoelde!"

Ze is maar met moeite het huis uit te krijgen, die Margje. Christiaan duwt haar zacht naar de deur. „Zouden jullie nu heus niet met de auto gaan... het is bar koud!", huivert hij.

„Jij verpietert bij die verwarming, oude heer!" Margje slaat twee bontarmen om zijn hals en trekt z'n hoofd op haar hoogte. „Dag!", fluistert ze nog vlug en stapt dan haastig achter Diewertje aan, die buiten op haar wacht.

„...Want God de Heer zo goed zo mild
is t' allen tijd een zon en schild..."

De bassen vallen op sonore toon in. Een tel te laat. Fout. Driftig tikt de dirigent van het kerkkoor op zijn lessenaar.

Diewertje heeft het er warm van. Ze verlangt naar de pauze. Bovendien voelt ze de ogen van Hendrik Baank in haar rug prikken. Hij zingt zijn partij met overgave mee, lichtelijk meezwaaiend op de maat, ze weet het zonder om te zien. Soms hoort ze zijn doordringend stemgeluid 's avonds in bed nog ná klinken. Ach, ze heeft met hem te doen. Hij is zo trouw als goud en snakt naar een beetje warmte in zijn bestaan. Maar ieder vriendelijk woord legt hij uit als een aanmoediging! Het is aandoenlijk hoe hij haar adviezen opvolgt. Hij gaat geregeld naar de kapper om de „stekeltjes" op de juiste lengte te laten knippen. En die vrolijke truien met bijpassende overhemden eronder, wel, het maakt een ándere Hendrik van hem. Zoals Margje onlangs zei: „Het brave, dat is van hem afgevallen als een melkkies in de mond van een schoolkind!"

Waarop Christiaan meesmuilde: „Tja, had dát maar eerder bedacht, meisje! Indertijd had ik aan hem geen concurrentie. Misschien dat Diewertje . . ."

Margje stoot Diewertje aan.

„Eh . . . ja, dames, wel even opletten hè? Het is zó pauze. Daar gaan we: toon overnemen . . . Juist!"

De dirigent zoemt als een wilde bij een hoog toontje en de sopranen nemen het over. „Want God de Heer zo goed zo mild . . ."

Eindelijk even rust.

Hoe hij het voor elkaar krijgt begrijpt Diewertje niet, maar Hendrik zit wéér op de stoel naast haar en veert gelijk op om koffie te halen. Ja, óók voor Margje, die met Janna in discussie gaat. Diewertje gluurt tersluiks naar mevrouw Boele. De moeder van Meinte . . . eigenlijk lijkt hij niet veel op haar, vindt ze. Misschien het haar? Wild en moeilijk gehoorzamend aan kam en schaar. En dat beweginkje van het hoofd als ze het ergens mee eens is, zo kan Meinte precies doen. Ach, Meinte, die nu met Christiaan gezellig in de kamer van „De Bruune Hoeve" zit.

Hendrik stoot haar aan. Ze schrikt op uit haar gedroom. Wat . . . gaat zijn broer volgende maand al weg? Ja ja, ze zal gauw weer eens langs komen. Ze zijn ook zo druk geweest op de hoeve! Eerst die verwarmings-toestand en het dopen van Erik-Jan!

„Hoor je eigenlijk wel eens wat van je getrouwde zus?" vraagt Diewertje. Vreemd, daar wordt praktisch nooit over gesproken bij hen thuis. Die verhouding schijnt niet al te best te zijn.

Hendriks lichte ogen rusten een moment op het zachte gezichtje van Diewertje. Hij vergelijkt haar met zijn zus en schoonzus. Met Margje. Anders is ze, héél anders. Zachter, ja, vrouwelijker. Die gedachte doet hem blozen als een schooljongen.

„Eh . . . nou, ze schrijft wel eens he? Maar zoals je weet is ze met een restauranthouder in Sassenheim getrouwd. Heel andere sfeer als bij ons op het land. Ik voel me er niet zo thuis, om je de waarheid te zeggen en moe ook niet. Ze is van ons afgegroeid. Ze heet geen Alie meer maar Aline . . . Nee, ze is geen type om bij moe te gaan zitten voorlezen, Diewertje!"

Nu kijkt Hendrik bepaald veelbetekenend en Diewertje bloost om het pijnlijke ervan. Goeie Hendrik.

Als hij bovendien later merkt dat de buurdames zijn komen lopen, staat hij erop met hen mee te wandelen, de fiets aan de hand.

Hendrik laat zich de plagerijen van de mede-koorleden rustig aanleunen. ,,Man, Hendrik, zo goed heb je 't nog nooit gehad . . . aan iedere kant één! Dat kunnen er niet veel zeggen!"

Gesprekstof hebben ze genoeg. Buurvrouw Baanks gezondheid, de vorstperiode, de prijzen van het jonge vee en dan zijn ze bijna thuis.

Hendrik loopt mee langs het pad van ,,De Bruune Hoeve" om via het achterweggetje op het eigen erf terecht te komen. Nee, hij gaat niet mee voor een kop chocolade. Al zou hij best willen, maar moe is zo lang alleen . . .

,,Trouwe ziel", mompelt Margje. Een bèste zoon. Ja, hij komt meer en meer uit de verf. Eigenlijk helemaal niet zo'n slechte partij voor Diewertje!

Mannen onder elkaar. Praten en luisteren, zonder je te hoeven generen voor je emoties en spanningen. Het werkt bevrijdend, vindt Meinte.

Ja, het is goed op deze hoeve. Altijd al geweest trouwens. Sinds Margje getrouwd is en Christiaan het heft in handen heeft, komt hij nog liever dan voorheen. Margje is een soort zus voor hem. Die kan tegen een plagerijtje.

Maar de laatste tijd is het of hij verdoofd is. Christiaan port hem op, praten moet hij. Loskomen.

Ach, eerst was hij onwillig. Wat viel er nu te vertellen? Nora heeft de vrijheid boven hem verkozen. Gelachen om zijn principes tegenover het huwelijk, welwillend geknikt om zijn verlangen een christen te willen wezen in woord en daad. Heeft hij verkeerd gehandeld? Want wat is nu het resultaat?

Er komt van alles lòs in hem. Hij ligt overhoop met de hele wereld!

„Ik geloof dat je je leven lang allerlei problemen weggeduwd hebt, Meinte. Je hebt een vrolijk, onbezorgd studentenleven geleid. Oké. Maar: omdat je serieus van aard bent, heb je alle vragen die een antwoord behoeven wèl in je leven en die achtervolgen je. De emoties zijn aan elkaar gekoppeld als een snoer kralen. Je moet de dingen ontrafelen, schiften! Nu voel je je bezeerd, het slachtoffer van een vrouw. De tijd heelt veel, je hebt op dat moment gekozen voor een scheiding met haar. Zíj is weggelopen, jongen. Ze had ook op haar achterste benen kunnen gaan staan! Weigeren je los te laten . . . dàt is liefde, zie je!"

Christiaan weet dat met één gesprek ze er niet uit zullen komen en dat een volgende keer Meinte zò weer zal beginnen met dezelfde „ja maars". Net zo lang tot het allemaal uitgesleten zal wezen.

„Meinte . . . vergeet niet te bidden om leiding. We weten het zelf zo gauw! Als we een veertje weg kunnen blazen denken we heer en meester over eigen leven te kunnen zijn. En Jezus Christus is biddende voor ons. Voor jou. Daar moet je aan denken op de momenten als je vreest dat God je voorbij ziet!"

Meinte schokt omhoog. Biddende voor ons . . .

Dan komen de twee vrouwen thuis. Ze lachen en rommelen in de bijkeuken. Rode wangen en lachende ogen, net twee tieners. Margje stuift dóór naar de kinderkamer en Diewertje raapt haar jas van een stoel en loopt er mee naar de gang. De eigen spulletjes legt ze op een keukenstoel, ze gaat toch zo weer naar haar huisje.

Meinte knikt vaderlijk – „Zo, Mus, heb je geoefend om toch een paar nootjes mee te kunnen flierefluiten?"

Meinte en plagen, dat is eigenlijk geen slecht teken.

Diewertje warmt de verse melk en zet mokken voor chocolade klaar. Hè, wat gezellig, Meinte in huis. Zijn malle hoedje ligt op de keukentafel en met een dun vingertje streelt ze het veertje dat in de rand is gestoken. Zou het een mussenveertje zijn . . .?

De geur van melk die over de pannerand suist rukt haar uit die dwaze dromerij.

Margje snuift veelbetekenend. „Erik-Jan voelt weer koel

aan. Wat denk je Diewertje, zouden het tandjes kunnen zijn?"

Diewertje spuit haar kennis, opgedaan in „Dalenk" en Lübeck.

Margje luistert aandachtig toe. Diewertje rebbelt en schenkt de hete melk op de aangemaakte cacao. Wacht, een beschuit erbij.

Margje voelt zich behaaglijk moe na de zangavond. Fijn, dat kan ze dan toch alweer!

Ze pakt de hoed van tafel en mikt hem in de top van de kerstboom. Zal Meinte straks moeten zoeken om zijn hoofddeksel te vinden.

„Weet je, Margje mijn schat, wat Meinte me voor plannetje in het hoofd heeft geplant?"

Christiaan strekt twee handen uit naar de chocolade, die hij voorzichtig op de leuning van zijn stoel zet. „Denk om de kringen!" Dat is Diewertje weer en Christiaan grinnikt.

„Meinte? Hm, in je hoofd geplant zei je . . . een kerstboom toch niet!" vraagt de boerin liefjes.

Ze zeggen het tegelijk, de beide mannen. Net kleine jongens: „Een open haard!"

Alle ogen gaan nu naar de plaats waar de oliehaard heeft gestaan. Er is een kastje voorgezet, maar, Margje moet het toegeven, dat is geen mooi gezicht.

Christiaan en Meinte kunnen zich de moeite sparen om Margje te overtuigen.

Ze zou er eens tegenop kunnen zien, want dat wordt natuurlijk weer hakken en breken.

„Ik geloof, Christiaan, dat er onder deze schoorsteenmantel nog een mooie schouw zit. Vraag dat maar eens aan moeke. Of anders weet vader het wel, die is hier geboren en getogen. Er heeft, naar ik meen, heel in het verleden een grote kolenkachel gestaan. En toen vader en moeke gingen trouwen hebben ze zo het één en ander gemoderniseerd. Misschien zitten er wel net zulke mooie tegels onder als in de keuken!"

Meinte zou zo een sloophamer willen halen, maar Christiaan is wat bedaarder. Ze zullen eerst eens informeren.

„Hè, wat knus!" Margje geniet bij voorbaat van het knapperige haardvuur dat in de toekomst de hoeve nog meer intimiteit zal gaan geven. Met je man en beste vrienden om een vuur. Een goed glas wijn en wat lekkers . . . mooie muziek. Dat is het terrein van Christiaan, muziek, hij kan haar nog heel wat leren op dat gebied.

Diewertje gaat nog een kan chocolademelk halen en in de kamer horen ze haar zingen: „Want God de Heer zo goed zo mild, is t' allen tijd een zon en schild . . ." Dan een octaaf lager: „Een zon en schild" . . .

„Als ze het kon zou ze warempel tweestemmig zingen!" verbaast Christiaan zich, „en Meinte, jij dacht nog wel dat mussen niet konden zingen?"

HOOFDSTUK 15

Of Diewertje mee wil gaan met moe naar de specialist, komt Hendrik vragen.

Het is vroeg in de ochtend en Diewertje kijkt onzeker van de ongeschilde aardappels naar de gereedstaande stofzuiger.

„Nu?"

Nee, morgenvroeg. Eindelijk zal het ervan komen. Je kunt wel zeggen dat die oogklachten aanstellerij zijn, maar je weet maar nooit!

Diewertje zucht onhoorbaar. Weigeren kan ze moeilijk en ach, wil ze ook niet.

„Het is goed, Hendrik, ik regel het hier wel met Marg. Die zal het wel goed vinden, denk ik zo. Ziet je moeder er erg tegen op?"

Hendrik kijkt somber. Moe verwacht immers het ergste? Ze is haar hele leven al bang om blind te worden. 't Zou een familiekwaal wezen. Afhankelijk van anderen, daar is ze 't meest bevreesd voor.

Diewertje heeft medelijden met Hendrik. Wat voor leven heeft die jongen thuis . . . nou ja, jòngen! Hij is dichter bij de dertig dan bij de twintig, al zou je dat niet zeggen als je hem hoort praten. Maar ze moet toegeven dat hij wel erg verandert, de laatste tijd. Zelfbewuster wordt.

Met een scheefgehouden hoofd observeert ze hem. Hendrik kleurt onder haar blikken. Wat betekent dat gestaar nu weer? Vrouwen? Hij moet toegeven dat hij niet veel kijk op ze heeft!

Lekker warm ingestopt onder een wollen deken zit buurvrouw Baank op de achterbank van de auto, die Hendrik bestuurt. Diewertje, naast haar gezeten, klemt de ouderwetse handtas van buurvrouw vast op haar schoot.

Ze voelt zich zo machteloos ten opzichte van de oudere vrouw. Ze kunnen allemaal wel zeggen dat zij de enige is die nog wat met haar kan beginnen, zelf gelooft ze dat niet zo. Wat buurvrouw nodig heeft is een mens met een warm hart èn ervaring op het gebied van depressies. Je weet nooit precies of ze nu echt lijdt of dat ze aandacht nodig heeft.

Waarschijnlijk weet ze het zelf niet eens . . . en nu moet de specialist uitmaken of er in de toekomst wat aan haar ogen zal gaan mankeren en Diewertje weet heel zeker dat als de uitslag gunstig is, er zeer binnenkort een andere kwaal zich zal aandienen.

Tussen Hendrik en Diewertje in wandelt buurvrouw Baank de lange gangen door. Hendriks gezicht is rood van de opgekropte spanning. Zorgzaam buigt hij zich naar zijn moeder over. Of het wel gaat? Anders vragen ze toch om een rolstoel?

In een nis van één der gangen, staan banken langs de muren, waarop mensen met een gelaten uitdrukking op hun gezichten, zitten te wachten.

„Ik geloof dat we hier moeten zijn!" zegt Diewertje, wijzend op een bordje dat aan een muur is bevestigd.

„'t Lijkt hier wel een perron!", moppert Hendrik.

De wachtende patiënten staren en knikken, om daarna weer in hun lectuur te duiken.

Diewertje installeert buurvrouw op een stoel en wijst Hendrik op een loketje, waarachter een assistente van de oogarts bezig is met administratie.

Hendrik friemelt de benodigde papieren uit de zak van zijn jas en buigt zich over de balie. Even heeft Diewertje met hem te doen. Hij past zo helemaal niet in deze sfeer. Een kat in een vreemd pakhuis. Het gevoel van medelijden verwart haar een beetje. Medelijden met Hendrik Baank...

Diewertje zoekt tussen de oude tijdschriften naar iets leesbaars, af en toe glurend naar buurvrouw. Wat zou er in dat grijzende hoofd omgaan? Ze vraagt zich af wie er beter aan toe is geweest, Hendrik met zo'n bazige ma of zij, zònder eigen moeder? Vreemd, de laatste tijd denkt ze steeds vaker aan de ouders die ze nimmer heeft gekend. Dat komt zeker door het aangekondigde bezoek van tante Stien! Per slot van rekening heeft die haar vader en moeder echt gekend! Zulke gedachten heeft ze haar hele leven weggeduwd, alleen door het feit dat tante Stien haar niet als kind in huis wilde nemen. Ja, ze heeft geen warme gevoelens voor het enig familielid dat ze bezit.

Diewertje legt een veelgelezen blad terug op de tafel en knikt tegen een verlegen kleuter die door de assistente om het kwartier druppels in de oogjes krijgt gedruppeld. Hè, nu zou ze zo naar dat kindje toe willen lopen, een babbeltje maken.

Als ze eindelijk aan de beurt zijn, heeft Diewertje het idee of ze uren en uren in de ongezellige ruimte heeft gezeten.

De arts is vriendelijk en heeft alle begrip voor zijn patiënte. Uitgebreid laat hij haar verslag doen omtrent de klachten.

Zelf helpt hij haar in de onderzoekstoel, legt uit wat hij gaat doen, waar alle lichtjes voor dienen enzovoorts.

Buurvrouw Baank komt er geheel van tot rust en Diewertje denkt: „Dat bedoel ik nou... zo moet je met haar omspringen. Hoor haar nu vertellen! Het apathische is helemaal verdwenen!"

De dokter kan niet vinden waar de oude vrouw zo bang voor is. Wel wil hij precies weten welke medicijnen ze gebruikt en hoeveel. Ze neemt toch de juiste dosis in en op geregelde tijden? Hoe is de bloeddruk... hij bladert in de papieren die dokter Huisman heeft meegegeven. Dan knikt hij tegen Diewertje. De dochter – of is het schoondochter? moet maar eens met haar gaan wandelen, als het lente wordt!

Diewertje kleurt en zegent in stilte de donkerte van de kamer en Hendrik kucht zenuwachtig.

Nee, de arts kan haar geruststellen. Al wat ze nodig heeft is een nieuwe leesbril, dan kan ze dichtbij beter zien...

„Uw ogen zijn gezond, mevrouwtje! Ze kijken alleen een beetje treurig, u moest eens lachen! En . . . heb ik u gerust weten te stellen? Kijk, ik zal wat druppels meegeven voor als u weer die klachten hebt. Nee, u hebt geen vocht achter de ogen. En bang voor een operatie hoeft ú niet te wezen . . . nou ja, misschien als de blinde darm begint op te spelen, maar dat is mijn afdeling niet hè?"

Voor ze het weten staan ze met z'n drieën weer op de gang, die nu opeens een oase van rust is. Alleen fladdert er af en toe een verpleegkundige op witgeschoende voeten langs hen heen.

„Zo", zucht Diewertje. „Buurvrouw Baank, wat een geruststelling . . . bent u nu niet een beetje blij?"

Hendrik drukt op de knop van de lift die hen naar beneden moet brengen. Buurvrouw wendt haar hoofd af, knijpt haar varkensoogjes tot spleetjes. Ze zucht over zoveel onbegrip. Blij? Ze kan niet nalaten het toch te zeggen: „Ach . . . als jij zo oud bent als ik praat je wel anders! Je hebt het leven nog vóór je. Als mijn man nog leefde . . ."

Hendrik slaat bezorgd een arm om de schouders van zijn moeder en de blik die hij Diewertje toewerpt is sprekender dan woorden.

Als Diewertje, thuisgekomen, Margje verslag uitbrengt van het onderzoek en haar teleurstelling laat blijken omtrent de onvrede van buurvrouw, knikt de boerin begrijpend. Diewertje hoeft háár niets te vertellen! Leer haar vrouw Baank kennen! Moeder Anne liep haar zoveel ze kon uit de weg en zo verging het de andere buren eveneens. „Behalve met buurvrouw Wilgenhof . . . daar kon ze geen ruzie mee krijgen. Die lachte haar vierkant uit!" En Margje, tastend in haar herinnering imiteert de vrouw van Wilgenhof: „Mins! Ie mot 'n bitjen dánkboarder wêzen, dat steet een christenmins veule bèter!"

Diewertje lacht flauwtjes.

Hendrik zit er dan toch maar mee. Zijn broer en zus trekken zich niet veel van hun moe aan. Fronsend met de fijngetekende wenkbrauwen gaat ze dóór op het thema.

„En dan zeggen ze tegenwoordig van hogerhand nog wel, dat de bejaarden thuis horen. Niet opgeborgen in onpersoonlijke tehuizen. Oude mensen moeten tussen de kinderen en kleinkinderen een vast plaats hebben. Weet je, Marg, dat er hele discussies over zijn? Dat hoorde ik van mevrouw Boele. Er komt op de vrouwenvereniging zelfs een spreker die dát als onderwerp heeft!"

Margje knikt, en schudt direct daarna haar hoofd. Hoe stapel gek zij ook is met haar ouders, ze als het ware op de handen draagt, het was indertijd toch beter dat ze van de hoeve afgingen, om samen hun intrek te nemen in „het andere huis". Als wilde zij, Margje, daar in het begin niets van weten. Trouwens, haar moeke heeft ook geen beste herinneringen aan het inwonen bij de ouders van vader.

„Diewertje . . . je laat je niet vangen door die Baanks, hoor je! Je laat je niet gebruiken door Hendrik en zijn moe. Hendrik is de kwaadste nog niet. Maar om in de schaduw van buurvrouw Baank te moeten leven! Reken maar dat die hoe langer hoe lastiger wordt!"

Het klinkt hard uit de mond van Margje, die eigenlijk zelden zulke uitlatingen doet. Maar de bezorgdheid om Diewertje speelt nu parten.

„Of . . . je moet zo dol op Hendrik wezen, dan heb ik niets gezegd! Maar zíj is in staat om haar dagelijks geluk, nou ja, gelùk . . . zeg maar iets anders, voldoening of zo, te putten uit jóúw geluk, ten koste van jóu!"

De blauw-grijze ogen van Margje flikkeren even van opwinding. Zij kent Diewertje onderhand zo'n beetje. Die is in staat om zich zelf weg te cijferen.

Diewertje recht haar schouders. Houden van Hendrik Baank . . . welnee. Al verandert hij tot een, wat je noemt aantrekkelijk persoon, dat doet hem toch niet promoveren tot huwelijkskandidaat.

Margje kan gerust zijn!

„Weet je wat zij nodig heeft Marg, een professionele hulpverlener. Maar waar vind je zo iemand! Ze is jonger dan ik dacht . . . maar ze gedraagt zich of ze de honderd nadert! Soms erger ik me ziek . . . de hele familie heeft moeten horen dat ze zo aan haar ogen lijdt. Nu blijkt het een ingebeelde angst te wezen. Nota bene . . . een nieuwe léésbril moet ze. De oude was niet scherp genoeg meer. Er is dus op psychisch gebied wat aan de hand. Iets, dat niet aan het oppervlak kwam toen haar man nog leefde!"

Margje staart haar hulp met grote ogen aan. Waar haalt díe de wijsheid vandaan?

„Jij moest in één van de inrichtingen hier op het dorp maar werk zoeken! Je kunt het ook al zo goed vinden met onze Klaas! Kom, ga mee naar de kamer, dan zal ik je de nieuwste aanwinst van mijn man laten zien! Of liever gezegd: laten horen!"

Margje trekt Diewertje mee naar de woonkamer. Erik-Jan, die op een vrolijk kleed in de box ligt, doet verwoede pogingen om zich om te draaien. Hij steunt en kreunt ervan als een jong hondje. Het valt ook niet mee voor het stevige lijfje om gehoor te geven aan die bewegingslust. Het kruippak èn de luier zitten hem in de weg. Hij heft zijn ronde bolletje op als hij de stem van zijn moeder hoort, maar die stevent hem voorbij om neer te knielen bij een spiksplinter nieuwe geluidsinstallatie. Enkele tellen later galmen orgelklanken, vloeiend als een waterval, de kamer in.

Erik-Jan blijft even bewegingloos op zijn ruggetje liggen en trapt dan als een gymnast met armen en benen.

Diewertje slaat verschrikt haar handen tegen de oren. Lieve help, het is of ze in een grote kerk beland is in plaats van de woonkamer van „De Bruune Hoeve"!

Margje draait aan de knoppen en haar stem is weer verstaanbaar. Glunderend verklaart ze dat dit een lang gekoesterde wens van Christiaan was.

Bovendien heeft hij zich voorgenomen haar, de boerin, eens wegwijs te maken in de klassieke muziek.

„En jij, Diewertje, mag van Christiaan zijn oude radio en pick-up hebben. Hij zal het zaakje vanavond komen aansluiten, na het melken. Leuk, nietwaar?"

Diewertje knikt blij. Fijn, kan ze eindelijk ook eens een platenverzameling aanschaffen. Wat je zelf mooi vindt! Dat was vroeger in het tehuis één van de vervelende dingen. Dat je altijd en eeuwig moest delen met anderen. Hè dat brengt haar weer op buurvrouw Baank, die, als ze zo doorgaat, nog eens in de één of andere inrichting terechtkomt.

Zo kun je nooit meer zo blij zijn als een kind. Als er iets fijns is waar je van zou kunnen genieten, komt er wel een plagerijtje om roet in het eten te strooien. Een gedachte is soms al genoeg.

Ze dwingt zichzelf vrolijk te zeggen dat ze ontzettend blij is met het aanbod. Eigenlijk te gek, vindt ze.

„Pak jij Erik-Jan even, wil je. Dan zullen we hem zijn vruchtesap geven. Jij zult wel afgedraaid zijn van dat lange wachten. Ga maar lekker zitten, dan zal ik een plaat voor je opzetten. Hier, houd je hiervan?"

Diewertje luistert genietend. Chopin, een mazurka. Ja, mooi.

Lachend beweert Margje dat Diewertje meer van de klassieken schijnt af te weten dan zij.

Vanuit de keuken roept ze dat Meinte één dezer dagen langs komt met een stapel Engelse platen, die hij op één van zijn vakanties heeft gekocht.

De naam Meinte alleen al is genoeg om Diewertjes hart te laten bonzen. En ze komt tot de ontdekking dat ze nu weet wat het woord bitterzoet inhoudt.

Het ontmoeten van Meinte bezorgt haar een pijn die je zo zou kunnen noemen.

Bitterzoet.

De stemming waar Meinte in verkeerd is alles behalve zoet. Hijma knapt langzaam op, zo luiden de berichten. De praktijk is feitelijk te groot voor één arts en wat assistentie is geen luxe. Hij werkt van de vroege ochtend tot de late avond. Mevrouw Hijma helpt op het spreekuur zoveel ze maar kan en ach, dat scheelt toch iets. Maar ergeren doet hij zich onuitsprekelijk aan mensen die hem niet vertrouwen. Duidelijk laten ze merken dat ze hem maar een broekie vinden. Weet de dokter het wel zéker . . . Hijma, tja, díe heeft nu eenmaal veel ervaring hè? Is dat nou geen gemis, Boele, dat je nog eh . . . nou ja, de kennis uit de boeken moet hebben, zogezegd?

Nee, hij is geen veearts uit een televisieserie. Maar een hard werkend man, die behalve zijn werk geen perspectief ziet in zijn toekomst. Worstelt in stilte met God en Zijn geboden. Zich schaamt voor de tranen die soms in zijn ogen springen als hij eraan denkt hoe het had kúnnen wezen.

Ach, en daar zijn toch ook ontroerende momenten. Mensen die wèl dankbaar zijn dat hun hond of kat weer vrolijk door het huis rent. Die de normale honorering niet voldoende vinden en de dokter een schaaltje eieren toestoppen of, zoals onlangs dat oudere heertje! Die was zo dankbaar dat zijn oude foks-hond als nieuw uit de behandeling te voorschijn kwam, dat hij voor de veearts wat in elkaar heeft geknutseld. En wel een vogelhuis met twee verdiepingen. Een voorraadbus met voer is kunstig op het dakje vastgemaakt en regelt zelf de toevoer van zaad doordat er telkens als er wat uit het voerbakje verdwijnt, een scheutje uit de bus naar buiten stroomt. Meinte heeft de man vriendelijk bedankt, hem een joviaal schouderklopje gegeven. Aardig voor in zijn tuin als het huis gereed is, nietwaar?

Maar zijn gedachten voeren hem voor de zoveelste maal die dag naar de verre plaats waar Nora nu is. Nora, die naar alle waarschijnlijkheid al weer een plaatsvervanger voor hem heeft weten te vinden. Een vrouw als zij kàn en wil immers niet alleen leven en ook niet met één en dezelfde man!

Hij bergt met een verbeten gezicht het fraaie bouwsel in de achterbak van zijn wagen. Wat moet hij met zo'n ding?

Hij kan het beter aan moeder geven om in de tuin van „Dalenk" te zetten. Of aan Klaas, dan kan die er in de winterse maanden vanuit zijn venster van genieten. De man komt toch al zo weinig buiten nu.

Maar al rijdend komt hem een veel beter idee in de gedachten.

Een vogelhuis . . . een mussentent.

Aan wie kan hij dat ding beter schenken dan aan Diewertje, de Mus?

Nu speelt er toch een schaduw van een glimlach om zijn mond. De harde verdrietige trek heeft even plaats gemaakt voor wat zachters. Mus . . . ach, die heeft in haar leven ook al niet veel gekregen. Tenminste, als je haar naast Nora zet.

En de grimmigheid keert terug in de ogen, ja, in zijn houding.

Diezelfde avond doet Meinte Diewertje perplex staan. Ze weet niet hoe ze het heeft! Waar heeft ze dat geschenk aan te danken! Ze is er warempel mee in haar sas, dit tot verbijstering van Meinte.

„Ik lijk wel jarig . . . eerst een radio met toebehoren en nu dit weer!"

„Ach ja . . . een lentekind ben je hè. Nu, dat duurt dan nog wel even!", grijnst Meinte.

Verontwaardigd moppert Diewertje dat ze een zomerkind is. „Dat heb je al vaker gedacht, je moet je nodig eens een verjaarskalender aanschaffen."

Ze weet zich van verlegenheid haast geen houding te geven. Een kind, zo ziet Meinte haar. Een kind dat een vogelhuisje cadeau krijgt. Die manier waarop hij het aanbood . . . Zo van: voor de kleine meid.

En dat terwijl ze er eigenlijk best wel blij mee is. Enig, zo'n voerplaatsje voor de vogels waar de katten niet bij kunnen. Poes Blackie is een gehaaid vogelvanger, dit tot haar dagelijkse ergernis. Ze zal een stuk gaas opzoeken en er omheen maken, dan weet ze zéker dat de felle jagers de vogels niet tijdens de maaltijden kunnen verrassen.

Pinda's zal ze aan een snoer rijgen, net als vroeger op „Dalenk"; restjes aardappels en gekookte rijst erin leggen.

Even is Meinte geroerd door de blijheid in het smalle gezichtje naast hem. Diewertje, kleine mus. Blij met zo'n stom ding.

Hij slaat vertederd een arm om haar schouders en trekt haar tegen zich aan, op de manier zoals een man zijn jongere zus laat merken dat hij haar graag mag.

Diewertje gloeit van binnen uit en ze wilde wel dat ze weg kon kruipen in het vogelhuis. Een mus onder de mussen.

Ze kent de spelregels van de flirt niet, weet geen speels antwoord en kent niet een maniertje om handig uit die lange arm te komen.

Het vogelhuis wordt haar opeens dierbaar, een associatie met dit éne, vriendelijke ogenblik . . .

HOOFDSTUK 16

Eindelijk, eindelijk is de winter op zijn retour.

Zomaar, bijna van de ene dag op de andere is de dooi ingevallen. De wind is gedraaid en blaast met bolle kracht uit het zuiden, brengt mist en regenbuien mee.

Het ijs op het kanaal en de vijver van „Dalenk", enkele dagen terug nog plaatsen van vertier, krimpt en smelt in record-tempo. Vuile puisten sneeuw ontsieren de bermen, maar dat zal zeker niet lang meer duren als de temperatuur zo blijft stijgen!

Sneeuwklokjes haasten zich alsnog te voorschijn te komen. Onder de jonge fruitbomen tegenover „De Bruune Hoeve" komen bossen van dat tere gewas te voorschijn. Dit tot verbazing van Margje, die er de hand van Diewertje in herkent. Echt Diewertje! Die kleine handen gaan verzorgend door hof en huis. Zelf denkt ze nooit aan zoiets. Zíj is meer gericht op de folder van zaaigewassen zoals maïs, knollen, bieten en wat dies meer zij.

Het is Margje of de vertrekkende winter óók haar trieste buien heeft meegenomen. De nu veel langere dagen fleuren haar helemaal op.

Zij zal trouwens de enige niet zijn die blij is met de lente. Al die mensen die aan huis gebonden zijn, zoals Klaas en haar ouders!

Vooral moeder Anne is bang om benen te breken, zo weet haar dochter.

De boeren zijn alweer druk aan de gang op hun akkers. Er wordt bemest en geploegd. Het zoemend geluid van tractoren is in de hele omtrek te horen.

Christiaans dagen zijn nu meer dan gevuld. Hij wil Margje niet dwingen buitenshuis, zoals vroeger, te gaan werken. Vanaf haar zwangerschap heeft ze meer en meer aan hem overgelaten. Toch is het hem liever dat ze meer belangstelling voor het bedrijf aan de dag legt en hij hoopt dat ze in de toekomst weer náást elkaar zullen werken.

Per slot van rekening is Diewertje er om in huis de boel draaiende te houden. Maar hij heeft geduld. De tijd doet wonderen en Margje is al zoveel beter dan ze was!

Lente, eindelijk! Het is een feest om te zien hoe de natuur tot leven komt. Te lang hebben de knoppen van de bomen en struiken zich in moeten houden. Langzaam schuiven ze als het ware het nieuwe leven naar buiten.

Achter de hof, waar een beekje zich langs de weilanden slingert, ontdekt de boerin tot haar innige vreugde, een paar jonge loten aan de wortels van een oude vlierboom. Die plek is haar hele jeugd tot schuilplaats geweest.

En toen de vlier zijn scheve gewicht niet meer kon torsen, was het haar, of ze een vriend verloor.

En zie nu eens: nieuw leven.

Ze kan niet wachten om Christiaan dit wonder mee te delen! Het is een mooi aanloopje voor wat ze nog méér te vertellen heeft . . .

De dagen kunnen nog zo druk en bezet zijn, al is er voldane vermoeidheid over de voorbije dag, steevast wordt er 's avonds muziek gedraaid, op volle toeren. De kleine Erik-Jan slaapt er rustig om door, gelukkig.

Margje leert de verschillende componisten uit elkaar te houden en hun muziek te herkennen. Maar het meest geniet ze van haar man, die met gesloten ogen, ontspannen met zijn hoofd de maat meedeint.

Vanavond kan ze haast niet wachten tot hij zijn portie muzikaal voer gehad heeft.

Als de laatste tonen van Mendelssohns Mondscheinsonate niet meer dan een echo in hun oren zijn, schudt Margje zacht Christiaan terug op de aarde.

Verontschuldigend grijpt hij zijn pijp en krabbelt verlegen zijn kruin.

„Wat is het, lief?"

Margje hurkt naast hem en iets geheimzinnigs in haar blik doet hem nu wat opmerkzamer haar aanzien.

„Christiaan . . . ik ben op onderzoek uit geweest . . . ik wou nog wat bessestruiken en van die nieuwe appelsoort bomen in de hof planten, weet je wel?

En toen zag ik dat de vlier weer uitloopt! Vind je dat geen

wonder?"

Christiaan die indertijd die vlier als een concurrent zag, moet toch lachen. Is dat zijn volwassen vrouw, de boerin van „De Bruune Hoeve"?

Maar nee, ze heeft nog méér op haar kerfstok, lijkt het.

Lente, nieuw leven aan de vlier. Nieuw leven . . . Christiaan, begrijp het dan toch . . .

„Ik . . . denk, ik weet zeker, bedoel ik, dat we nog een kindje krijgen!"

Christiaan klemt verschrikt zijn handen om de leuningen van zijn stoel. Felle schrik doet zijn gelaatstrekken verkrampen. Erik-Jan is nog maar goed een half jaar! De bevalling was een nachtmerrie en hoe is ze eraan toe geweest!

Margje kent haar man goed genoeg om te weten dat die trek op zijn gezicht niet een kind, maar háár gezondheid geldt.

Daarom heeft ze gewacht tot ze zekerheid had.

Al die heerlijke, warme winteravonden, doordrenkt met muziek en steeds de gedachte in haar hoofd, aan . . . aan nòg een kindje.

Hoe kan ze Christiaan uitleggen dat ze de spanningen van een nieuwe zwangerschap en bevalling zo snel mogelijk achter de rug wil hebben?

Als er een jaar of misschien twéé tussen Erik-Jan en . . . en dat nieuwe kindje zouden zijn weet zij bij voorbaat al dat die wurgende angst omtrent de goede afloop haar weer beet zal nemen. Hoe eerder het achter de rug is hoe beter!

„Christiaan, bovendien hebben we nu Diewertje nog! Wie weet stuitert ze op een dag Hendrik Baank tòch nog in de armen. En een tweede Diewertje bestaat er niet!"

HOOFDSTUK 17

„Klaas, zullen we dan maar . . . wat wil je: eerst naar de bank in het plantsoen of de velden in?"

Voor de man is de keus niet moeilijk. Zeker, hij staat er bekend om dat hij graag een praatje maakt. Maar nu, na die lange winter, trekt de natuur hem.

En dat weet Diewertje best!

,,Ben je er nu zo'n beetje aan gewend, Klaas, dat je je moet láten rijden?" vraagt Diewertje, en roert zo dit voor Klaas zo tere onderwerp aan. Hij schokschoudert en huivert onwillekeurig onder de geruite wollen plaid.

,,Deerntje, alles is beter dan helemaal niks meer te kunnen. 'k Heb 't wel motten leren, zogezegd. Het kan allemoale nog slechterder, mot je maor denken. Iets ánnemmen, dat is zwaorder dan geven, deern!"

Vreemd, maar met dit meisje praat hij zomaar over dingen waar hij normaal gesproken alleen maar over denkt.

En tijd om te denken heeft-ie in overvloed.

,,Weetie, deern, wat moeder Anne van Margje zo vaak zei? Dit: 'Het kan nooit zo somber en donker zijn of het wordt wel weer een keertje licht!' En òf ze gelieke had!"

Ja, Diewertje kan van Klaas nog heel wat leren.

Samen zoeken ze de bekende plaatsjes op en Klaas keurt uit de verte en dichtbij met een ervaren kritisch oog het doen en laten van de boeren.

Op het bankje bij de vijver, achter huize ,,Dalenk", is het goed uitrusten in gezelschap van de oude tuinman.

Diewertje gaat, voor ze binnen een bezoekje afsteekt bij mevrouw Boele, even op onderzoek uit, langs de vijver. Er groeit zoveel moois! Dat ze dat vroeger nu nooit gezien heeft. Maar ja, wat wist ze toen van kruiden af!

Wacht, daar staat iets dat ze beslist moet hebben. Alleen zal ze nog wat moeten wachten tot het gewas wat groter is. Zacht prevelt ze voor zich heen: ,,Equisetum arvense . . . paardestaart!"

Ze proeft het woord meer dan ze het zegt. In gedachten is ze al aan het brouwen aan haar medicijn tegen bloedneuzen. Hoe was het ook weer . . . een dubbele dosis plant op een helft van het water dat je gebruikt voor het normale afkooksel.

Met haar gedachten in de kruidenwereld stapt ze uiteindelijk toch het huis in, waar het op het middaguur als steeds ongewoon stil is. Het merendeel van de kinderen is naar school en de hele kleintjes doen een slaapje.

Janna is als steeds blij haar te zien en Diewertje moet uitgebreid vertellen van „De Bruune Hoeve".

Ze schijnt te schrikken van het bericht uit Australië.

„Mevrouw Boele... kent u mijn tante eigenlijk goed?", vraagt Diewertje onverwacht. Vreemd, daar heeft ze nooit zo bij stil gestaan.

„Ach... wat heet goed!" weert Janna af.

Ja, ze heeft haar inderdaad enkele malen ontmoet en het klikte niet zo tussen hen beiden. Maar goed, toen was zíj, Janna, ook jaren jonger. Ja, ze nam het Stien zeer kwalijk dat ze het kleintje niet mee wilde nemen.

Diewertje haalt gelaten haar schouders op. Het heeft zo moeten wezen.

Dringend nu zegt Janna: „Je moet me beloven, kind, dat je zo gauw mogelijk met haar hier komt! Of anders mij uitnodigt haar te bezoeken. Ja?"

Diewertje kijkt Janna bevreemd aan.

Waarom zo'n haast... na àl die jaren?

Janna gaat er niet verder op in, maar de bezorgde blik verdwijnt niet meer uit haar gezicht en ze snoept de ene kersenbonbon na de andere op.

Aarzelend nu komt Diewertje met haar tot nog toe verborgen verlangens op de proppen. Toch leuk om eens iets over je ouders te horen... Per slot van rekening is tante Stien familie!

Wat scherp antwoord Janna dat dit niet hoeft in te houden dat je elkaar goed kent!

Diewertje berust. Ze zal wel zien...

Heeft ze niet haar hele leven geleefd zonder iets over haar ouders te weten?

Alleen koude feiten. Vader was „iets" in de zeevaart. En vóór haar moeder gestorven. Verdronken op zee tijdens een vaart met een plezierjacht!

En haar moeder overleden in het kraambed. Als zíj niet was geboren, zou haar moeder misschien nog wel leven.

Zie je wel, je kunt beter niets weten dan zo'n klein beetje!

Janna leidt haar af door een boekje uit de kast te halen over kruidendrankjes, wetend dat er niet veel is wat Diewertje méér boeit dan dat!

Voor ze met Klaas de terugtocht aanvaart heeft ze toestemming om het zanggroepje een dagje mee te mogen nemen naar „De Bruune Hoeve".

Blozend legt ze uit de kinderen wat te willen leren over haar kruiden die in haar tuintje groeien!

„En er zijn van de week een paar kalfjes geboren, mevrouw Boele. Dat is óók zo aardig voor de kinderen. Ik ga nog even bij de ouders van Margje langs om te vragen of we bij hen óók een kijkje mogen nemen. Vader Wickes heeft zulk leuk jong spul! Lammetjes en kleine eendjes. Er zijn zelfs een paar geitjes op komst!"

Diewertjes ogen glanzen. Dol is ze op dieren en Janna zegt argeloos: „Je lijkt warempel Meinte wel van vroeger . . . die bracht altijd van alles mee naar huis. Muizen, honden op drie poten en half verdronken katten!"

Ze lacht smakelijk om de herinnering. Maar als ze ziet hoe Diewertje haar kloosterblik krijgt, zwijgt ze schuldbewust. Meinte, de hartenbreker van alle oudere meisjes uit „Dalenk".

Warm is haar toon als ze Diewertje uitgeleide doet. Ja, het boekje mag ze houden. En de kinderen haalt ze maar op wanneer ze wil!

Is ze al aan het oefenen voor de Paasdienst?

Op de terugweg vraagt Klaas of Diewertje niet moe is geworden van het duwen? Het is toch een hele kuier. En ze heeft van die tere botjes!

Lachend ontkent Diewertje dat. Schijn bedriegt, dat moet Klaas toch weten. Zelf is hij ook niet fors . . . en hij hééft wat werk verzet! Waarmee Klaas afgeleid is en op dat onderwerp nog een kilometertje door borduurt!

Het huis van Klaas is gereed om de bezoekster te ontvangen. Diewertje heeft namens de boerin, tante Stien voor langer tijd uitgenodigd.

Zo snel als deze keer heeft ze nog nooit antwoord gehad!

Stien schreef dat ze zich buitengewoon verheugt op de logeerpartij. Het goeie oude land blijft trekken. Al heeft haar man daar geen last van en gaat liever met de zonen een lange trektocht maken.

Diewertje moet gauw schrijven welke kledingmaten de familie van de hoeve heeft, dan zal ze een origineel vest voor hen meebrengen van echte Australische wol.

Op een avond weet Diewertje buurvrouw Baank zo ver te krijgen dat ze aan Diewertjes arm mee gaat om het huisje te bekijken.

Waar ingebakken nieuwsgierigheid al niet goed voor is! Kan ze gelijk de snel groeiende kruidentuin bewonderen.

Met Hendrik in hun kielzog wordt de tocht ondernomen. Buurvrouw is weg van het intieme huisje. Die tante boft maar! Ze zit hier beter dan in welk pension ook!

„Dat is een gáve, kind!"

Het klinkt als een compliment uit buurvrouws mond en daar is ze warempel niet scheutig mee.

Hendrik knikt instemmend. Ja, Diewertje heeft er slag van om sfeer te maken. Wat een verschil met zijn schoonzuster!

Buurvrouw betreurt het dat er in de hof van „De Bruune Hoeve" geen groente meer geteeld wordt. Vroeger toen Gerrit Wickes nog „kon", tjonge, zùlke bonen en kroppen sla om zo in te bijten.

Diewertje luistert geduldig. Er komt wat meer léven in buurvrouw!

„Maar die nieuwe vruchtbomen vind ik niks ân! Zulk laag spul is dat tegenwoordig! Zal wel voor 't gemak zijn, nietwaar? Ik vind die pereboom voor het huis veel mooier!"

Het is ook net een plaatje.

De hoeve met het lage dak, de bruine luiken. Op de voorgevel staat in sierlijke smeedijzeren letters „De Bruune Hoeve". En nu de pereboom voor het huis in bloei staat lijkt het wel feest.

Diewertje knikt en dankbaar zegt ze zacht: „Het is een gelukkige hoeve . . .!"

Hendrik legt een warme hand, verlegen, op Diewertjes arm. Even rusten haar ogen op die eerlijke, gebruinde hand. Verweerd van het werken. Een niet-verwende hand. Maar ze durft de gedachten van sympathie niet te laten merken. Hij concludeert er licht iets anders uit!

Nu ontkomt buurvrouw ook niet aan een visite bij de boerin,

die al op de uitkijk staat. Ze kan zonder te horen raden waarover buurvrouw praat! Ziet haar afkeurend kijken naar haar fruitboompjes! Ze knijpt haar varkensoogjes tot spleetjes en Margje mompelt: „Als zíj er niet was, zou die Hendrik nog niet eens zo'n malle partij voor Diewertje wezen!"

Met de handen in zijn zakken, kwasi onverschillig, het merkwaardige hoedje schuin op het hoofd geplant, keurt Meinte Boele de gevel van zijn woning. Het is alleraardigst geworden, zowel buiten als binnen. De praktijkruimte is meer dan royaal te noemen. Eindelijk is het afgelopen met het geklauter over planken en resten cement. Bordjes voor de bazen en bazinnen van de patiënten: spreekkamer die en die kant op. Het behelpen ligt Meinte niet zo. Hij wil alles het liefst zo snel mogelijk in kannen en kruiken hebben in het leven.

Alles op de juiste tijd. De diploma's, een werkkring, een vrouw... Zijn ogen glijden met iets van berusting langs de brede balkonramen boven, waarachter hij en Nora hun slaapkamer gedacht hadden.

Vreemd, het doet minder pijn als enkele weken terug! Een soort gewenning is ingetreden.

Nadenkend kauwt hij op het uiteinde van een dun sigaartje. Ook een nieuwe gewoonte van hem, dat sigaartjes roken!

Dankbare patiënten weten het al en schenken hem bij gelegenheid een doosje van zijn merk. Of vogelhuisjes!

Diewertje en haar vogelhuisje, hij heeft haar van de week nog geplaagd met dat ding. Wie laat er nu in de lente een vogelhuisje in de tuin staan. Dat hoort bij het silhouet van de winter. Maar Diewertje keek hem aan met die heldere oogjes... Ze slaat haar blik maar zo niet voor een ander neer, heeft hij ontdekt.

Nu het voorjaar is en er op de boerderijen zoveel meer te doen is dan in de winter, komt er van de gesprekken met Christiaan ook niet veel meer terecht. Helaas, mag hij wel zeggen. En ja, hij mist ze wel degelijk.

En niet alleen die gesprekken!

Zelfs het stille gebaar waarmee Diewertje de koffie binnenbrengt. Ja, die Mus. Wat een ander ding dan Nora is ze toch.

Meinte tipt de as van zijn sigaar en loopt om zijn huis heen. Diewertje. Hoe komt hij erbij om haar, juist háár te vergelijken met Nora!

Hij blijft verrast staan.

„Diewertje?"

Hij knijpt met zijn gevoelige vingers te hard in de sigaar, verbluft als hij is over die gedachtengang.

Waarachtig, hij miste die malle Mus!

Weer dwaalt zijn blik langs de ramen in de gevel.

Die Mus, ze is hem – ja – ja wat? geworden. Dierbaar op een bepaalde manier. Als hij Nora niet had gekend, niet bedwelmd was geweest van haar schoonheid, aantrekkingskracht en wat dies méér zij . . . misschien dat er dan een kans was geweest – hij durft de zin die in zijn hoofd opkomt niet af te maken.

Diewertje, kleine Mus. Wíebertje, ach ja, Wiebertje. Wat is het lang geleden dat hij dat zei.

Hij komt er niet uit. Durft niet door te denken. Kan geen respect opbrengen voor de wispelturigheid van de gevoelens die ongenodigd in hem opkomen.

Nijdig, opeens, op zichzelf en de hele wereld schopt hij tegen een stuk vergeten gereedschap aan. En het is maar goed dat op dat ogenblik een spoedgeval binnen komt. Een poes met een opengescheurde poot vraagt zijn aandacht. De eigen gedachten gaan daarvoor in de ijskast . . .

Wat een feest! Wat een optocht is me dat die daar het erf van „De Bruune Hoeve" komt opluisteren.

Diewertje tussen haar kinderen. Ze steekt maar net één kop boven de jeugd uit.

Aan haar beide armen slieren twee meisjes, vlijend en aanhalig, net jonge katjes. De jongens hollen ravottend vooruit, schreeuwend, hun komst als herauten aankondigend.

Diewertje blikt voortdurend om of de kleintjes wel mee kunnen komen. Die worden afgeleid door de madeliefjes en boterbloemen die langs de kant van het pad gestrooid lijken.

Ja, het is feest voor die kinderen. Mee met Diewertje naar een echte boerderij! Jonge beesten zien, het huisje van hun juffie bekijken en o ja . . . ze heeft hen wat lekkers beloofd!

Margje wacht ze op bij het terrasje. Ze zit met Erik-Jan op schoot op de bank onder de pereboom.

Janna heeft gelijk, weet ze opeens, Diewertje moet iets gaan doen met die gave! Zoals ze met kinderen om kan gaan. Trouwens: óók met zieken en bejaarden. Alles wat hulpbehoevend is heeft haar oog.

De meisjes rennen naar de baby toe en Erik-Jan, net in een eenkennige periode, zet het op een brullen.

„Wat klein . . . zo hebben wij ze haast nooit", roept een kind. „Wij krijgen ze meestal iets groter!"

Maar als Erik-Jan in de wandelwagen gezet wordt, leeft hij op. Hij wiebelt en veert blij bij voorbaat al op en neer. Om de beurt willen de gasten duwen, maar daar zijn ze niet voor gekomen!

Diewertje wil ze het bedrijf laten zien, de loopstallen, de kippenhokken, de jonge dieren in de wei.

Tot Diewertjes leedwezen hebben de kinderen voor haar kruidentuin niet de belangstelling die ze verwacht had! Het is ook moeilijk voor ze om het verband te zien tussen de opgroeiende, soms onooglijke planten, en de wonderbaarlijke middelen die er van bereid kunnen worden volgens Diewertjes zeggen!

Maar de piepkleine hegjes om de perkjes heen, fascineert hen wel. Iets afgeslotens, iets eigens.

Achter de fruitbomen is een beekje, dat rustig voortkabbelt tussen de weilanden door. Persé willen de jongens natte voeten halen: hup, erover heen!

„Kijk . . . daar groeien anemonen! Mooi hè? Zo heet jij: Anemoon!" en Diewertje streelt zacht het vlashaar van een verlegen meiske.

„Hé . . . daar loopt een oude knol! Mogen we erop, juffie Diewertje?"

De jongens rennen, nog voordat Diewertje hen tegen kan houden, richting buurhoeve.

Geleund op de zitting van de trekker heeft Hendrik Baank het stel al een kwartiertje ongemerkt gade geslagen.

Het stel, nou ja, Diewertje dan.

Hoor ze nu roepen! De bengels doen net of ze haar niet horen. Langzaam maakt Hendrik zich los van zijn trekker en stapt doodgemoedereerd naar het hek.

Hij steunt met bei zijn handen op het hek dat de toegang verschaft tot de wei.

Dan krijgen de jongens hem in de gaten. Hendrik verbaast zich. Vroeger zouden de kinderen schrikken als ze de eigenaar van het dier zagen, óf proberen hem zo ver te krijgen dat ze een ritje op die oude knol mochten maken.

Maar nu: „Hé, boer! Zet ons eens boven op dat slome beest! Kunnen we lachen!"

Hendrik stapt bedaard over het hek heen, en Diewertje ziet tot haar ergernis, een welwillende glimlach om zijn mond.

Eén van de meisjes fluistert tegen een ander: „Die vent komt vast pas uit de bajes . . . moet je die haren maar eens zien!"

De ander kijkt minachtend terug. „Welnee kind, dat is juist mode!"

„Kom Diewertje, jij wilt zeker nog wel eens een ritje maken?" roept Hendrik speels voor zijn doen. Diewertje deinst terug.

Zo, dus dat kan Hendrik ook tegenwoordig . . . plagen. „Nieuw in dit theater!" denkt ze.

Hendrik, gestimuleerd door de joelende schare, tilt de weerstrevende Diewertje van de grond.

Niet wéér op dat beest!

Geen van allen zien de langzaam rijdende auto, die meer jeep dan wagen is, achter de heg op de smalle weg voorbijgaan. Dus zeker blijft de bestuurder, Meinte Boele, onopgemerkt.

Hij mikt zijn hoedje op de achterbank. Te warm opeens en dat sigaartje heeft eigenlijk een laf smaakje.

Even maar stopt hij. Lang genoeg om de uitdrukking op het gezicht van die Baank te zien.

Zo, dus die vent zit achter Diewertje aan!

Zie dat spul daar tekeer gaan! Diewertje voelt zich vast niet fijn, dat weet hij zeker. Even is daar een impuls om te stoppen en haar met beide voeten op de grond te zetten, al was het alleen maar om die dankbare blik te voorschijn te toveren op dat fijne snuitje.

Hendrik Baank, die bráve, en Diewertje.

De brave en de Mus.

Er klikt iets in het brein van de jonge veearts en hij is zich zelf een raadsel.

Plankgas.

„Diewertje en Baank? Dat nooit!"

Maar die woorden gaan verloren onder het geraas van de motor.

Diewertjes huisje is vol met drinkende en snoepende kinderen. Ze genieten.

Wanneer ze weer mogen komen? Mogen ze niet helpen hooien, van 't zomer?

Diewertje legt uit dat dit werk gemechaniseerd is!

Maar ze zal de boerin vragen of ze met Pasen mogen komen om eieren te zoeken, ja, echte eieren. Dan zullen ze die verven en uitdelen op „Zonneheuvel"!

„Juffie, Diewertje . . ."

Diewertje glimlacht. Zij zit zo'n beetje tussen hun leidsters en een buitenstaander in.

„Juffie Diewertje . . . jij helpt ons ook de wagen te versieren voor het koninginnefeest, hè? Er is een wedstrijd van 't jaar . . . voor de mooiste wagen!"

Diewertje knikt. Ja ja, dat is al in kannen en kruiken. Ze zal er wat moois van maken, dat staat vast.

Het kost moeite het jonge groepje weer zover te krijgen dat ze de terugtocht kunnen aanvaarden. Maar de belofte een ijsje naar keuze te kopen onderweg doet wonderen!

Margje heeft haar straks wat papiergeld in de hand geduwd voor dit doel.

Onder het motto: „Ach, ik loop wel eens een collecte voor goeie doelen mis, zie . . ."

Die avond is Diewertje zo moe dat ze extra vroeg in bed duikt. Bijna nog eerder dan de kippen op stok plegen te gaan. Het omgaan met zo'n groep kinderen vraagt heel wat van je, zo heeft ze ondervonden. Vooral die grotere jongens, die kan ze niet goed aan.

Zoals met dat paard!

Blackie de poes schurkt zich behaaglijk op haar voeteneind. En Diewertje mompelt doezelig: „Truste poes . . . slaap ze. En nu maar hopen dat we niet geplaagd worden door nachtmerries!"

HOOFDSTUK 18

„Zonneschijn bloemengeur
brengt ons de zomer weer..."

Diewertje tikt voor haar doen kribbig met een dirigeerstokje àf.

„Jullie zingen veel te ruw! Dit is geen modern kinderlied zoals je dat tegenwoordig op de TV ziet en hoort! Dit is een ouderwets versje, dat weten jullie toch! Als je dat te hard zingt vinden de mensen van 'Zonneheuvel' het niet mooi! Dan zeggen ze dat zij het vroeger béter deden!"

De kinderen zuchten, in koor!

Ze willen Diewertje best een plezier doen en zo mooi mogelijk zingen. En ook voor die zieke mensen in het tehuis. Maar het schijnt vandaag niet te lukken.

„Nu bent u net als juffrouw Stannie!" klaagt één van de kinderen. „Die moppert ook soms zo!"

Diewertje rimpelt haar voorhoofd. Stannie, die kattekop. Als ze daarmee vergeleken wordt, is er iets niet pluis. Met hàar, wel te verstaan.

Een van de andere kinderen roept dat deze liedjes zulke rare woorden hebben. Kan Diewertje die niet even veranderen?

Diewertje gaat er bij zitten. Ze zal het nog eens uitleggen.

„Als het feest is, krijgen jullie allemaal boerenkleren aan. De meisjes lange rokken en schorten, een zwarte omslagdoek. En: Echte, witte mutsen! Van boven een kantje, en een soort plooirokje aan de achterkant. Onder de kin een strikje!"

Nu moet ze even het zwijgen er toe doen, want de meisjes beginnen te joelen.

„En de jongens dan, juf Diewertje!?"

Ja, de jongens, die krijgen een donkerblauwe kiel aan en een rode zakdoek om de hals.

„En allemaal klompen, kinders!"

„U ook, u ook?”

Diewertje ontspant van dat vrolijke gepraat. Ja, zíj ook. En dan met z'n allen op de versierde wagen van boer Baank!

Hun kar zal beslist de allermooiste zijn. Al dagen zijn ze bezig ijzeren bogen te versieren. Zoveel mogelijk met echt groen, heeft Diewertje bedongen.

En na afloopt wordt er gezongen op 'Zonneheuvel'. Het programma bestaat uit „Kun je nog zingen, zing dan mee”-liederen. De patiënten krijgen de gelegenheid enkele coupletten mee te zingen. Er is gezorgd voor gestencilde teksten, want de meesten zullen die oude woorden wel niet meer zo goed kennen.

Diewertje wil goed voor de dag komen met haar zanggroep. Daarom vraagt ze soms teveel van haar club. Bovendien is het weer zo mooi, buiten spelen trekt meer dan oefenen in het donkere zaaltje op „Dalenk”.

„Nog één keer van de zonnegeur!”

Diewertje bedelt bijna.

Berustend stellen de kinderen zich weer op. En inderdaad is de concentratie nu beter.

Diewertje is tevreden.

„Vragen jullie maar aan de tuinman of jullie klimop achter uit de tuin mogen halen. Haal in de keuken maar een paar messen, maar niet van die scherpe . . .”

Ze ruimt in de nu opeens stille kamer de boel op. Het lessenaartje achter de piano en de muziek in de kast. Automatisch raapt ze wat papiertjes van de grond.

Nog een paar dagen, dan is tante Stien hier. Of het daar van komt dat ze zo onrustig is?

Kom, ze zal naar huis gaan. Als ze voortmaakt, blijft er vanavond nog een half uurtje over voor de kruidentuin . . .

Het versieren van de boerenkar is meer werk dan Diewertje gedacht had!

Alleen al de voorbereidingen hebben uren tijd gekost. In één van de schuren van het buurhuis staat de schoongepoetste, oude wagen. Er is geen spoortje modder meer aan te vinden.

Daar heeft Hendrik hoogst persoonlijk zorg voor gedragen,

onder het toeziend oog van Jenneke Kraak, de gezinsverzorgster die sinds enkele dagen werkzaam is in huize Baank.

Later heeft Hendrik op „Dalenk" de versierde bogen opgehaald, vast besloten Diewertje te helpen waar hij kan. Al is hij ook nog zo druk, deze tijd van het jaar.

Op „De Bruune Hoeve" hebben ze de aardappels vorige week gepoot – hij moet er nog aan beginnen.

Maar alà, wie daarom treurt!

Diewertje heeft beloofd zijn moe haar kostuum te komen laten zien.

Dus Hendrik besluit die avond een beetje in de buurt te blijven. Het is een gemak dat die Jenneke er is.

Jenneken, zegt zijn moe.

Jenneke is één en al orde en netheid. Ze werkt volgens vaste schema's. Als ze besloten heeft dat het de tijd is om ruiten te wassen, gebeurt dat, al regent het pijpestelen. Al na een paar weken kan Hendrik de klok gelijk zetten op de bezigheden van Jenneke.

En, wanneer het werk klaar is, wast ze haar schortje uit, dat aan de lijn komt te hangen naast de spons, zeem, dweil en vaatdoek. Hèt sein dat ze het werk af heeft.

Zodra die spulletjes droog zijn worden ze direct weer in dienst genomen en begint het werk opnieuw.

Nee, zó'n vrouw zou hij, Hendrik niet moeten hebben!

En hij spoedt zich naar de grote schuur, waar de wagen staat. De versierde bogen staan er tegenaan, het lijken wel klimopstruiken die zich gewillig in een U-vorm laten dwingen.

Door het halfronde schuurraam ziet hij haar komen, Diewertje. Een hagelwitte kap op het hoofd, de lange rokken vast om ze weg te houden van de grond. Reintje keffend achter haar aan, happend naar de schortbanden.

Hij kan het niet laten en tikt tegen het ruitje, wenkt dan met zijn hand.

Diewertje verandert van koers en jolig lacht ze hem toe: „Hoe vind je mijn kostuum, Hendrik? Zou jouw overgrootje er ongeveer zo bij gelopen hebben?"

Hendrik kijkt haar zwijgend aan. Propt zijn vuisten diep weg in de zakken van zijn blauwe kiel en het is hem of zijn klompen vastgespijkerd zijn aan de vloer.

„Diewertje . . .” hakkelt hij. „Diewertje . . . het staat je zo eh . . . je bent net een echt boerinnetje uit moe's foto-album. Toe, je kunt hier een écht boerinnetje worden. Je hoeft alleen maar JA tegen mij te zeggen!”

Hoe vaak is Diewertje er op voorbereid geweest dat Hendrik dit wéér zou vragen? Ontelbare malen – maar nu net niet.

Ze wil zich er met een grapje van af maken, maar dat ervaart ze als niet fijngevoelig.

Zou je die jongen niet? Nou ja, jóngen! Hij is echt wel een paar jaartjes ouder dan zij!

Ze waant zich in de val gelokt! Dacht notabene dat Hendrik iets over de kar wilde zeggen!

Ze wijkt een stapje achteruit en nog één. Een baal stro voorkomt dat ze nog verder loopt en pardoes ploft ze neer op de zachte zitplaats.

Zenuwachtig begint ze te giechelen, slaat dan beschaamd haar hand voor de mond. Hendrik mocht eens denken dat zij hem uitlachte!

„Toe, Hendrik, begin er nou niet steeds weer over! Je moet jezelf eens goed onder de loep nemen, ik weet zeker dat je dan ontdekt dat je voor mij niet veel méér voelt dan voor een soort zusje!”

Hendrik kijkt haar gekwetst aan. Ze moest eens weten! Het wordt hem even rood voor de ogen.

Waarom al die anderen wel? Zijn schoolkameraden, zijn broer, Volgers van „De Bruune Hoeve”. . . allemaal hebben ze . . . zijn ze . . .

Dan weet hij het opeens met zekerheid: ze houdt van een ander! Maar hij moet het weten, zéker weten.

Dreigend komt hij vlak voor haar staan. Zijn knieën staan pal tegen die van haar, ze kan geen kant op; de lange rokken hinderen toch elke bewegingsvrijheid.

Angstig kijkt Diewertje nu omhoog. Wat doet hij toch vreemd! Even flitst er angst in haar ogen. Ba!

Twee handen die zwaar op haar schouders leunen, ze gloeien door het dunne katoen van het bloesje heen.

Diewertje ziet het verlangen in het gezicht van de jonge boer en dan begrijpt ze. Maar het moet néé zijn! Ze kan de verlangens in haar hart niet verloochenen.

Dat is voor haar zoveel als ontrouw. Je kunt je toch niet aan een man geven, je hele vrouw zijn, terwijl er ín je het verlangen naar die ander woont?

„Zeg het me . . . ik zal je nooit en nooit meer lastig vallen! Diewertje, IS er een ander?"

Diewertje hoeft niets te zeggen. Hendrik leest het in haar ogen. Hij laat haar los, deinst achteruit. Als een kind, dat net een grote teleurstelling te verwerken heeft gekregen.

Hij klemt zijn kaken opeen. Volgt Diewertje met zijn ogen. Kijkt hoe ze de stro van haar rok afklopt de mutsbanden opnieuw strikt.

Hendrik schraapt zijn keel.

Hij draait zich om en snuit omstandig zijn neus en als hij even later weer begint te spreken, is er aan zijn stem niets meer te horen.

Diewertje krijgt respect voor hem. Hij weet een nederlaag te incasseren, dat moet je hem nageven!

„Je hoeft me niets meer te zeggen, ik eh . . . zal je nooit meer lastig vallen. Het spijt me, ja, eerlijk. Maar je bent ook zo'n – ahum, zo'n verrekt lief deerntje!"

„We praten er niet meer over. Goed, Hendrik?" ze blijft staan waar ze staat, bedwingt de impuls om een troostende hand op die blauwe kielmouw te leggen.

Het is moeilijk om na dit korte gesprek de draad weer op te vatten, dat vinden ze beiden.

Diewertje heeft geen lust meer om nog wat aan de kar te doen, maar aan een bezoekje bij buurvrouw wil ze zich nu niet onttrekken.

„Ik ga maar even naar binnen!" zegt ze stil.

En als Hendrik haar nakijkt, denkt hij treurig: „Het blije van straks is weg, en dat is mijn schuld!"

Diewertje krijgt, bij buurvrouw gezeten, van Jenneke koffie.

„Komt Hendrik niet binnen, Jenneken?" vraagt vrouw Baank.

Maar Jenneken brengt de boodschap van de boer over dat hij nog even van het mooie weer wil profiteren en een paar rijen aardappels wil gaan poten . . .

Het moet wel heel raar gaan als de wagen van huize „Dalenk" niet de mooiste van de optocht zal wezen.

Waarschijnlijk heeft geen enkele groep er ook zoveel tijd aan gespendeerd!

Voorop loopt de muziek, gevolgd door de majorettes. De dorpsmeiskes hebben dagen getraind en de spieren zitten goed los. De korte rokjes zwieren om de slanke lichamen en de zon tovert de lovertjes op de hoeden om in stralen van goud, zo lijkt het.

In elk geval: het is een mooi kijkspel voor de dorpelingen die op de trottoirs staan.

Het tromgeroffel is van verre te horen, helemaal voorop lopen de allerkleinste muzikantjes. Gewichtig stappend, opzij loerend of pa en ma wel op het afgesproken plaatsje staan te kijken.

De middenstandsvereniging heeft een wagen, de school en zelfs de peuterspeelzaalhummels hebben een versierde kar.

Verder verschillende verenigingen en clubs. En allemaal maken ze als was het een carnaval, reclame voor eigen doel en instelling.

Waar een koninginnefeest al niet goed voor is!

Langs de route wordt druk gevlagd. Daar zijn de dorpelingen trouw in! Wat een mooi gezicht is dat, het rood-wit-blauw van de vlag die uit de kerktoren wappert, afstekend tegen de strakke voorjaarslucht, als een plaatje uit een prentenboek.

Enkele notabelen hebben samen een jury gevormd. Op het pleintje bij de kerk zitten ze op een soort podium. De rozetten op hun borst zijn de overtuigende bewijzen van hun zo belangrijke functie van vandaag! De algemene stemming is bepaald feestelijk te noemen.

Diewertje troont tussen de kinderen van „Dalenk" op de bok van de wagen, naast Hendrik Baank die met vaste hand het paard ment, dat gehoorzaamt zoals alleen een haast afgeleefd dier dat kan doen, berustend.

Achteraf vond men paard-en-wagen een beter idee dan de tractor ervoor.

En omdat Hendrik met weinig moeite het uiterlijk van een „olderwetse" boer aannam, werd bepaald dat Diewertje maar náást hem moest gaan zitten! De kinderschaar achter hen barst in zingen uit, het éne ingestudeerde lied na het andere.

Diewertje en haar stokje zijn nu overbodig! Het is maar goed dat hun wagen niet vlak achter de muziek rijdt, anders zou het geheel tot een merkwaardige kakofonie samenklinken.

De mensen langs de route kijken vertederd naar de boertjes en boerinnetjes. Wat een plaatje! Je zou er een foto van maken en als reclame voor het buitenland kunnen gebruiken.

Diewertje wuift naar Mikke Mooi en vader en moeder Wickes. Dáár, Klaas en zijn huisgenoten met de verpleegkundigen, op een plaatsje in de zon en uit de wind.

De dominee met zijn vrouw, en hoe is het mogelijk? Buurvrouw Baank en „Jenneken"!

Diewertje gooit een handjevol bloemen in hun richting als groet en Hendrik glundert.

Een paar mannen, oude schoolkameraadjes van Hendrik Baank die op een terrasje achter een biertje zitten, roepen ten overstaan van de belangstellende toehoorders: „Hé, Hendrik, bê'j op weg naar het stadhuus man! Ie had ons wel 'es kunnen uutnodigen veur de brûllofte!" Diewertje kijkt met een gloeiend gezichtje de andere kant op en Hendrik zegt zuchtend, als kon hij er wat aan doen dat die lui daar zo lallen: „Sorry, Diewertje . . ."

Maar dan is daar ook het ogenblik dat Diewertje recht in de ogen kijkt van Meinte Boele, die met de Hijma's op de hoek van de Kerkstraat de kleurige stoet langs zich heen laat trekken.

Even is het Diewertje of de wereld stil staat.

Meinte neemt met een sierlijk gebaar zijn hoedje af en maakt een buiging die in een operette niet misstaan zou hebben. Spottend kijkt hij, maar als hij Hendrik naast Diewertje ontwaart, komt er een nadenkende blik voor in de plaats.

En hij hóórt zichzelf roepen: „Hé, Wiebertje, hoe is het daar, hoog op de gele wagen?"

Wat voor de luidruchtige kinderen het teken is om als één stem in te zetten: Hoog op de gele wagen . . . rijd ik door berg en dal!

Ja, Diewertje heeft een uitgebreid repertoire in de keeltjes gegoten, zo schijnt het.

Ze steekt haar hand op naar het groepje bekenden, de wangen als bellefleuren getint.

Als Hijma peinzend opmerkt: „Zou dat waar worden, die twee daar op de bok? Ach, me dunkt: ze konden het allebei slechter treffen!"

Dan is het Meinte, merkwaardig genoeg, alsof er een wolk voor de zon is geschoven.

De jury beslist: de prijs is voor „Dalenk".

Hoe zou het ook anders gekund hebben! De inspanningen zijn dan toch maar beloond.

Een tegoedbon wordt aan Diewertje overhandigd, die hem later op de dag lachend aan Janna overreikt.

Diewertje glipt, laat in de middag, weg van het feestgedruis op „Dalenk". Ze vindt het welletjes zo!

Langer kan ze haar werk niet in de steek laten, vindt ze.

Door het dorp is een spoor te zien waar de optocht langs is gegaan. Vreemd stil zijn de zonnige straten nu. Heel in de verte hoor je af en toe een gejuich opstijgen van af het spelterrein waar wedstrijden worden gehouden.

In de bomen op het kerkplein bungelen slappe ballonnetjes, die door de takken gevangen zijn in hun vlucht.

Slierten crêpe papier zijn blijven haken in de rozenperkjes aan de kant van de weg: volgende week hebben de mannen van de gemeente er hun handen weer vol aan!

En dan de straat zelf, die is bezaaid met stippels: men is wat al te royaal geweest met confetti!

Diewertje denkt, wat treurig nu, aan de wagen waar ze zo druk mee zijn geweest en die morgen alweer in gebruik zal worden genomen voor balen hooi of mest. En dan dat arme paard van Baank, die zal wel over z'n toeren zijn van het ongewone.

„Enfin, die kan een jaar uitrusten!" grinnikt Diewertje van binnen en dan zwiert ze op haar fiets het erf op van „De Bruune Hoeve".

HOOFDSTUK 19

Naarmate de datum nadert waarop tante Stien haar bezoek heeft aangekondigd, wordt Diewertje onrustiger.

Soms staat ze zichzelf toe om te dromen dat tante een ideaalfiguur zal blijken te zijn. Dat vroeger misverstanden een hindernis tussen haar en de voogdijraad waren, die nu opeens als in rook verdwijnen. Stien wil dan niets liever dan een soort moeder voor Diewertje zijn, haar meenemen naar Australië en alles geven wat ze als kind tekort gekomen is aan persoonlijke liefde.

Ook haar man en zoons zijn dolgelukkig hun nicht te mogen ontvangen. Er worden feesten voor haar georganiseerd en ze wordt voorgesteld aan de meest interessante mensen. Overal is ze meer dan welkom . . . het middelpunt, zogezegd!

Ze krijgt een knots van een zit-slaapkamer. Een eigen badruimte. O ja, en tennissen en zwemmen kan ze in een mum als de beste.

En bruín zal ze wezen, zo bruin als in een zonnebrandolieadvertentie! Geliefd bij iedereen . . . en – dan is de droom uit.

Want er komt geen Meinte aan te pas. Die hoort niet in die fantasieën thuis. Met z'n schuine hoedje, de dunne sigaar en groene rubberlaarzen hoort hij vast niet bij Stien uit Australië.

Dan pakt Diewertje zichzelf streng aan.

Geliefd bij iedereen, wil ze dat dan zo nodig wezen? Me dunkt: ze heeft meer vrienden dan ze ooit in haar leven heeft gehad. En een moeder? Daar is het nu te laat voor. Dat is niet meer in te halen. En klagen mag ze niet. Er zijn er die het veel naarder dan zij hebben gehad, dat staat vast!

Naar? Ze heeft het helemaal niet naar gehad op „Dalenk". Mevrouw Boele, de leidsters en de huispsycholoog vormen nu evenals in het verleden, een prima team.

Maar dat gevoel dat je wat miste . . . een eigen huis, een mamma en een pappa van jezelf!

Wat waren ze jaloers op Nora.

En zie nu eens hoe die terecht is gekomen? Staat ook zij niet met een verongelijkt gevoel op de wereld?

Nee, laat zij nu maar op beide benen blijven staan en geven

wat ze zelf niet gehad heeft.

Is het bovendien geen wonder op zich dat je in staat bent iets te geven van dat wat je niet éëns zelf gehad hebt?

Oh, als ze aan Saskia uit Lübeck denkt, die mollige armpjes om haar hals! En de lieve lachjes van Erik-Jan! Voor die hummels is zij een beetje moeder.

De leidsters op „Dalenk" mopperen tegenwoordig dat zij, Diewertje, meer gedaan krijgt van de kinderen dan zijzelf. Ze heeft de goede toon, de persoonlijke aandacht voor ieder kind.

Ja, ze is heus bevoorrecht, dat weet ze best.

Maar: dankbaarheid is een bloemke dat in maar weinig hoven bloeit . . .

Soms is het zoeken naar dat kleine gewas!

Want het verlangen blijft naar twee armen, die er voor jou alleen zijn. Waar jij tegen aan en in mag kruipen, die zich om jóu heen sluiten als een warme veiligheid.

Als ze reëel wil wezen: voor de Diewertje van vroeger zou dat een moeder moeten zijn geweest. Of een vader.

Maar voor de volwassen Diewertje heeft dat begrip een andere inhoud gekregen.

Met niemand kan ze praten over die gedachten. Of het zou Mikke Mooi moeten zijn! Die staat bekend als een helpster in de nood.

Maar Diewertje kan eigenwijs zijn. Ze knobbelt het liever zelf uit. Dat is ze nu eenmaal zo gewend.

Toch: diep in zichzelf zal ze blij zijn als het bezoek van Stien voorbij is!

„Zo, nu kunnen we weer even ademhalen!"

Dat is Christiaan, die voldaan de woonkeuken binnenstapt.

Het is een warme vóórzomerdag. Hoewel 't op de kalender nog eigenlijk lente is!

Margje kijkt haar man cynisch aan, de mondhoeken naar beneden gekruld. Ademhalen, het móćht wat!

„Ik heb er niets van gemerkt dat er iets met je zuurstoftoevoer niet in orde was!" plaagt ze.

Christiaan ploft op Margjes rieten stoeltje neer dat krakend protesteert.

„Voorzichtig!" moppert Diewertje. Ze schenkt de hete thee in mokken en dromerig als ze tegenwoordig is, krijgt iedereen dubbel suiker.

„Ik bedoel maar", legt Christiaan uit, tussen twee slokken door, „dat de mais er nu in zit, de aardappels ook en nu kunnen we, als het weer zo blijft, het eerste gras al maaien!"

Margje knikt. Ja ja, zij staat buiten spel wat het werk betreft. Maar wacht maar eens als zij over een half jaar weer de oude is!

Dan werkt ze naast Christiaan óp, van de vroege morgen tot de late avond. Dat staat voor haar vast als een huis.

Maar een periode van baren hoort nu eenmaal bij het vrouwenleven!

„Zeg, dan kun je nu mooi eens met die open haard van ons beginnen, lief!" stelt ze voor.

Christiaan knikt instemmend.

Voor je het weet is het weer winter! En bij vader Wickes achter het huis staan oude vruchtbomen die nodig om moeten. Er brandt volgens hem niets zo fijn als kersehout.

Diewertje trekt een vies gezicht bij het proeven van de thee.

Hu, ze mag haar hoofd er wel eens beter bij houden!

Wat zegt Christiaan nu . . . o, Stien.

„Volgende week dinsdag, met de trein van acht over elf . . . ik zal haar zelf maar halen. Al vind ik het best griezelig! Ik wou maar dat ze met een taxi van het vliegveld aan kwam!"

Christiaan belooft met haar mee te zullen gaan. Hij begrijpt best dat de ontmoeting haar aangrijpt.

Dankbaar knikt Diewertje hem toe. Fijn, een geluk dat hij niet meer zo bezet is als de afgelopen weken. Dan zou ze zich schuldigvoelen als zij de oorzaak was van zo'n werkonderbreking.

„Schenk me nog maar eens in, Diewer", verzoekt de heer des huizes, en met een fijn lachje: „Graag als het kan iets minder suiker!"

Als het „de dag van Stien" eindelijk is, loopt het Diewertje allemaal tegen.

Met het verkeerde been uit bed gestapt, zeiden ze vroeger op „Dalenk".

Ze brandt zich aan de ketel voor het theewater, laat pardoes twee ontbijtbordjes vallen en de melk voor Erik-Jan kookt over.

En wanneer het bijna tijd is om te vertrekken, loopt ze tegen een half openstaande deur aan en een dikke buil is het gevolg. Maar ook de huid om het rechteroog zwelt flink op en dan is het gedaan met Diewertje.

Ze barst in tranen uit, tot schrik van Margje. Erik-Jan stemt méé in en met zijn zware basje brult hij de tweede stem.

„Zo kun je niet weg!" beslist Margje en duwt Diewertje op een keukenstoel.

„Een pa... papje maken van een gekookte aardappel!" snikt Dieuwertje. „Dat helpt wel tegen de zwè- zwelling!"

„Ja ja, of een verse biefstuk!! Hier, ik doe er een gewoon nat doekje op!"

Christiaan rammelt met zijn autosleutels en werpt steels een blik op zijn horloge. „Ik vind...", hij zegt het aarzelend, „dat Diewertje maar hier moet blijven. Ik ben opperbest in staat die Stien alleen te halen..."

Margje knikt instemmend, het heftige gesnik van Diewertje negerend.

„Opschieten dan! Anders draaft ze met buil en al achter je aan!"

Diewertje is niet meer bij machte om te protesteren en laat zich vertroetelen door de boerin.

Erik-Jan komt nu eens op de tweede plaats en dat staat hem slecht aan. Zijn mollige handjes petsen op het blad van de kinderstoel en het speelgoedbeertje vliegt door de woonkeuken waar het precies op de schaal met plakken cake landt.

„Eet smakelijk", is Margjes rustige commentaar.

Ze ververst het washandje met ijskoud water, haalt wat te drinken voor Diewertje.

„Zo, en nu even blijven zitten jij! Neem het er maar even van. Het duurt nog wel drie kwartier voor ze hier zijn!"

Margje begint te vermoeden dat er meer achter die tranen steekt dan dat bezeerde gezicht. Diewertje lijkt innerlijk van streek.

Margje zet koffie en Erik-Jan krijgt z'n vruchtesap met babykoek. Hij rukt en trekt onwillig aan zijn slabbetje, wappert met de armpjes in de richting van zijn beer. Ja ja, meneertje wordt wel begrepen!

Diewertje schiet er weer om in de lach en staat er dan op om even in het spiegeltje boven de kapstok te gaan kijken.

Geen gezicht, dat dikke oog.

Margje schampert dat Stien minstens denkt dat ze slaags met elkaar zijn geweest.

En achter de verse koffie gezeten zègt Diewertje het eindelijk. Ze trekt met een vinger de zonnebaantjes op het tafelkleed na met een spits vingertopje.

„Marg . . . hoe, ik bedoel: hóe zou ze zijn? Als ze nou eens begint over het meegaan naar Australië . . ."

Margje verslikt zich bijna in de koffie. Stel je voor! Diewertje naar Perth!

Ze moet er niet aan denken! Maar Diewertje is een volwassen mens dat zelf de beslissingen moet nemen. Daar leer je het meeste van. Een ander kan moeilijk voor jou de keuze maken. Maar als ze dat zo zegt, ze weet zeker dat Diewertje dat op dit moment zal ervaren als een afschuifsysteem. Wat ze nu nodig heeft is liefde van haar naasten. En dat zijn zij en Christiaan!

„Mee naar Australië . . . dus dat spookt in je hoofd rond, lieve Diewer. Weet je wat, die gedachten moet je maar een paar weken laten voor wat ze zijn. Het hangt volkomen af hoe jij en tante Stien met elkaar overweg kunnen! Het leven is daar natuurlijk anders dan hier! En waar je toekomst ligt weet God op dit moment alleen. Jij kunt nu slechts afwachten en zoeken naar die weg. Dat zal te zijner tijd wel duidelijk worden. Heus, die dingen weet je op het goede ogenblik zeker. Vertrouw daar maar op, Diewertje! Ik eh . . . ik heb dat zelf ook al eens mogen ervaren!" Margje verbaast zich over haar zelf. Vroeger was ze niet zo lang van stof maar hoe ouder je wordt hoe meer je geestelijk in de breedte groeit.

Diewertje hikt nog na, onbewust, als een getroost kind.

Margje schenkt nog wat koffie bij in haar mok en tilt de mokkende zoon uit de kinderstoel.

„Kruip jij maar eens rond, jochie, maar de cocosmat zal wel zeer doen aan je handjes!"

Christiaan is ruim op tijd aan de trein. Hij weet zelfs een gunstig parkeerplaatsje te vinden, tot zijn tevredenheid.

„Op naar Stien", mompelt hij zacht.

Ze boft met het weer. De zon staat hoog aan de hemel. Holland op z'n best.

Hij kuiert op zijn gemak het perron op, de omgeving in zich opnemend. Haastige reizigers en rustige –.

Ervaren – èn onervaren treingasten! Die laatste herken je meteen. Een aarzelend zoeken naar de borden. Vingers langs de namen van plaatsen en uiteindelijk het toch maar voor de zekerheid aanschieten van de één of andere beambte, die nauwelijks tijd heeft om uitgebreid te luisteren.

De bankjes op het perron zijn bezet, de wachtkamers leeg.

Er komt een trein binnen, wat even een felle opleving geeft aan het algemene stationsbeeld. Koffers en tassen, begroetingen over en weer.

Christiaan kijkt op de klok en besluit nog best een pijpje te kunnen opsteken.

Hij heeft goed gegokt, want als hij de pijpekop tegen zijn voetzool heeft uitgeklopt, dendert de trein uit Amsterdam binnen. Een nasale stem uit een luidspreker komt niet boven het lawaai uit.

Christiaan bergt zijn rookgerij op en loopt langzaam met de traag rijdende trein mee.

Fluitjes snerpen, àndere treinen zetten zich in beweging. Het is een drukte van jewelste.

Scherp neemt Christiaan de uitstappende passagiers in zich op. Wat hij zoekt is een vrouw van tegen de vijftig, met een stapel koffers. Maar dat er zoveel reizende vrouwen van die leeftijd zijn mèt koffers en tassen, brengt hem toch wel even in verwarring . . .

Maar ja, die dame zal het zijn! Kan niet missen, zegt zijn intuïtie.

Hij maakt zich los van de plaats waar hij staat en beent op haar af. „Pardon . . . u bent misschien eh!" Verhip, nu weet hij niets anders dan dat ze tante Stien heet! En dat klinkt hem wat te intiem. Een blik op de stickers die op de koffers zitten, geeft hem moed. „Bent u de tante van Diewertje Kaptyne? Mevrouw Stien eh . . ."

Een stralende lach van een roodgeverfde mond, en een melodieuze stem: „Zeker . . . missis . . . mevrouw Stien Smith. En u bent?"

Christiaan zucht van opluchting, geeft zichzelf in gedachten een paar schouderklopjes.

Stelt zich voor als de huisgenoot en werkgever van Diewertje Kaptyne, die helaas verhinderd is haar tante te halen.

„Ach! U bent dus de boer waar ze werkt!"

Even een monsterende blik uit felle bruine ogen. Een hartelijke lach. „Wat bén ik lang weg geweest! In mijn herinnering lopen de Hollandse farmers op klompen en hebben wijde kielen aan . . . en een geurtje van het land om zich heen! Maar u hebt niets van dit alles! Oh boy, wat is het goed weer hier te zijn!"

Christiaan pakt twee koffers en informeert of ze nog meer bagage heeft.

Ja, maar die is opgeslagen in Amsterdam, dat is van later zorg. „O boy, ik verheug me om hier te zijn, jammer alleen dat ik alleen ben. Maar goed, ik ben benieuwd naar mijn kleine nicht!"

Tante Stien hangt een zware tas met gemak over haar schouder en in haar hand pakt ze een andere.

Ze kijkt haar ogen uit, beweert ze. Wat is er veel veranderd in zo'n kleine twintig jaar.

Alles is hier „zo piep", vergeleken met het wijde land Australië.

Christiaan helpt haar in zijn wagen en deponeert de koffers in de laadbak, waar wel te zien is dat het een auto van een boerengezin is: een zak waarin kippenvoer is gehaald, heeft gelekt en er ligt een bergje graan in de hoek, waar Christiaan de koffers plaatst.

Ziezo, ze kunnen rijden.

Tersluiks neemt hij de vrouw naast zich óp. Tracht een mening te vormen. Ze is een struise dame, lang niet lelijk, al is het zijn type niet. Haar Hollands is perfect, behalve dan dat tienerachtige boy. Zijn jongere zusje zei zulke dingen, vroeger.

,,O boy!"

Ze is charmant gekleed in een mantelpakje dat geen enkele kreukel vertoont. Maar het geverfde haar doet haar ouder lijken dan ze is, al zal dat de bedoeling wel niet zijn.

Ze babbelt met gemak alsof ze elkaar jaren en jaren kennen. Over haar man, de zonen en de kennissen. Ja, er is een Hollandse clan waar ze mee optrekken. Dat is dus de reden waarom haar taal zo zuiver is gebleven.

Als ze de hoeve naderen vertelt Christiaan terloops dat Diewertje zich vanochtend bezeerd heeft, net voor het vertrek. Aangezien men tante Stien niet wilde laten wachten, is hij maar alleen gekomen.

Ze legt een hand met roodgelakte nagels op zijn arm, geeft een intiem kneepje en zoent hem, als bedankje voor de moeite.

Bij het uitstappen veegt Christiaan tersluiks langs zijn wang. Hij weet zeker dat die rode mond beter stempelt dan een stempel van een postkantoor.

Margje ziet hen het eerst.

,,Daar is ze, Diewer! Hou je taai meidje!"

Diewertje legt bei haar handen tegen haar gloeiend gezicht. Stien uit Australië . . .

Margjes hart bonkt opeens van vreugde: zíj weet nu al met zekerheid dat Diewertje nooit met zo'n type vrouw mee zal gaan. Om de eenvoudige reden dat ze verschillen als dag en nacht. Als een musje anders is dan een klaproos!

Ze duwt Diewertje voor zich uit en in die vreemde formatie staan ze op de stoep van de bijkeuken.

Stien neemt één ogenblik het tafereel in zich op. Een boerderij als een Hollands plaatje, twee jonge vrouwen in de deuropening, Diewertje, het meisje van haar nichtje, die ándere Stientje . . .

Even is daar een zwakte, een schuldgevoel om zoveel. Maar de Australische Stien wint het van die van vroeger.

,,Mensen, daar is Stien!"

Ze neemt de hindernissen met gemak en zoent Margje niet minder dan Diewertje.

Ze knijpt hun handen fijn, zoent nog eens en steekt haar arm door die van Christiaan.

„Deze boer die geen ouderwetse landbouwer is, heeft mij uitstekend weten te vinden en gebracht tot aan mijn kleine nichtje, o boy, het is goéd je te zien, dear!"

Diewertje draait zich schielijk om, gaat het gezelschap zó voor de hoeve in. Ontduikt meteen een nieuwe zoenpartij.

Margje haalt gebak en schenkt koffie. Nee, vandaag moet Diewertje haar maar laten bedienen.

Tante Stien, die geen tante wil worden genoemd, doet uitgebreid verslag van de reis. Ja, het tijdsverschil zit haar dwars!

Maar dat ze hier op dit snoezige boerderijtje mag logeren! Fantastisch! Straks wil ze Diewertjes huisje eerst zien. Dan haar eigen logeerruimte.

Wacht, ze zal haar geschenken eens halen.

Wil Christiaan de bruine koffer even halen? Een knipoog aan Diewertje.

Even later zitten ze allemaal met een wollen vest op schoot. Een zot gezicht: het is of ze een lammetje aan het koesteren zijn.

Maar toegegeven moet worden dat het uniek handwerk is! Iets fraaiers had Stien niet uit kunnen zoeken.

Op tafel ligt een mini vestje voor Erik-Jan, die z'n ochtendslaapje doet.

Margje haast zich naar de keuken om de karbonades te redden. Heeft ze gelijk even de tijd om één en ander te verwerken. Diewertje, ach, Diewertje. Zou ze erg teleurgesteld wezen over dit uitbundige vrouwspersoon?

Toch kan Margje niet anders dan ermee instemmen dat het er toch van gekomen is . . . het is beter dat Diewertje geconfronteerd wordt met die vage persoon. Af kan rekenen met de kinderlijke verlangens die beslist een frustrerende uitwerking hebben gehad, dat kán volgens haar niet anders.

Toch kan ze een onbestemd gevoel van onrust niet van zich afzetten!

En van af die dag is voor Diewertje het leven in tweeën: de periode vóór Stien en die erna . . .

HOOFDSTUK 20

De eerste dagen van Stiens verblijf zijn voor alle betrokkenen nogal verwarrend.

Diewertje ervaart iets van teleurstelling. Maar tegelijkertijd óók opluchting!

Want nu is ze blij zeker te weten dat ze niet bij tante Stien past. En er nooit bij gepast heeft ook! Oh, ze heeft niet iets tégen haar, maar toch blijft er afstand tussen hen beiden.

Diewertje zit te vlassen op een invalshoek omtrent het onderwerp dat haar zo na ligt. Dolgraag wil ze over haar ouders het een en ander vragen. Maar Stien is zo vol van zichzelf en haar eigen leven, dat Diewertje gelaten afwacht.

Stien heeft Diewertjes woonruimte bewonderd. Klein vond ze het wel. Maar duidelijk goed genoeg voor het nichtje.

Nadat ze in het huis van Klaas geïnstalleerd was, is ze gaan slapen.

„Mijn schoonheidsdutje", zoals ze beweerde.

Over de logeerruimte was ze enthousiast. De eerste dag wilde ze graag gast zijn op de hoeve, mééeten. Maar daarna zou ze voor zichzelf zorgen.

In ieder geval ziet Diewertje geen kans die eerste dagen om, zoals ze heeft beloofd, Janna Boele uit te nodigen. Vooral niet nadat Stien ervan blijk heeft gegeven Janna helemaal niet te mogen.

„Janna Boele, bewaar me! Dat was vroeger zo'n brave meid! Degelijk vanaf haar opgestoken haar tot aan de molières. Ze zal wel een dikkerd geworden zijn, nietwaar! Ze heeft psychologie willen studeren, weet je dat? Toen dat niet doorging is ze in de kinderverzorging gegaan. Of nee . . . éérst in de verpleging, natuurlijk. Janna Boele . . .!"

Dat waren woorden die Margje nòch Diewertje konden waarderen! Maar om Stien, als gast, tegen te spreken, vonden ze nu niet terecht.

Maar vanaf dat moment is Margje een stuk koeler geworden.

Janna, haar beste vriendin, een brave meid. Ze mag dan fors gebouwd zijn, ze is heel wat charmanter dan menig slank modepopje. Janna heeft bovendien karakter.

Maar wat Diewertje het meest dwars zit, is, dat Stien het christen-zijn op een laag pitje heeft gezet.

Als Diewertje wil doorstoten naar de kern, is het antwoord ronduit: „Je merkt er zo weinig van . . . of je gelooft of niet! Er is zoveel dat je aandacht eerst behoeft! Mijn man zegt: geloof is voor de domme mensen die niets anders hebben. O, sorry, ik wil jou niet beledigen! Maar als ik aan je moeder denk, ach, die praatte net als jij!"

Toen, op dat moment had Diewertje door willen vragen, maar door de één of andere storing lukte dat niet.

Nadat Stien „uitgeslapen" was, ging ze uitgebreid in het dorp winkelen. De kleine koelkast werd daarna volgestouwd en toen ging ze op zoek naar oude vrienden en bekenden.

Terloops vermeldde ze ook een bezoek aan de familieleden van haar man te willen brengen, die allen in de kop van Noord-Holland woonachtig zijn. Ze liet zich ontvallen dat haar man, een jaar of zes geleden óók de hele rij was afgegaan . . .

De grote ogen van Diewertje deden haar de tanden in de rode lippen zetten.

„Ach . . . nee, dear, bij jou is hij maar niet geweest! Jij was toen nog maar een kind!"

Dat deed pijn, meer dan Diewertje heeft willen toegeven.

Meer pijn dan dat blauwe oog op de dag van aankomst van Stien . . .

Trouwens: wat wordt ze daarmee geplaagd!

Als ze Meinte ontmoet, puur toevallig op het pleintje bij de supermarkt blijft hij abrupt vlak vóór haar staan.

Ze doet voorzichtig een stapje achteruit, meer dan één wil niet, dan zou ze terechtkomen in het winkelwagentje.

„Wat heb jij nou, Wiebertje! Gevochten met roofvogels? Dat is geen partij voor jou!"

Het moet grappig klinken maar zijn ogen doen niet mee met de klank van zijn stem.

Als was hij een arts, bevoelt hij de pijnlijke plek, die de kleuren van de regenboog heeft gekregen. De rest van haar gezichtshuid wordt rood als de ondergaande zon.

Maar zodra ze vertelt dat Stien er is, fronst Meinte zijn

wenkbrauwen. „En dat mens wil jou zeker meenemen als hulp in de huishouding of zo . . . nou, je moet maar eens goed kijken voor je zó gek bent!”

Het klinkt autoritair en Diewertje hunkert er naar dat ze waarde zou mogen hechten aan die woorden. Maar ach, voor hem is ze het meisje in de huishouding van „De Bruune Hoeve” . . .

Hij duikt in zijn Range Rover en stopt Diewertje folders in de hand die voor Christiaan zijn; allerlei modellen openhaarden. Hij grinnikt. „Dat wordt een knus wintertje, Wieber, daar op de hoeve!”

Diewertje kijkt de auto, die niet past tussen vlugge wagens waarmee het vakantiedorp nu overspoeld wordt, na tot ze hem niet meer kan zien.

Opeens merkt ze dat er iemand geduldig op haar arm staat te tikken, al wel een halve minuut lang, zo realiseert ze zich.

Een oud heertje vraagt bescheiden of hij haar karretje mag hebben . . .

Alles gaat gewoon door, die zomer. Stien of géén Stien.

Het zangkoor blijft oefenen, de kinderen van „Dalenk” verwachten Diewertje als altijd. Trouwens, dat doet buurvrouw Baank óók! Al zit ze soms vanwege het mooie weer buiten op een stoel, die Hendrik voor haar uit de kamer heeft moeten slepen. Want tuinstoelen vindt ze te tochtig.

Het gras in de weilanden groeit zo volop dat Christiaan extra vroeg aan het inkuilen is begonnen. Altijd de zorg voor de winter, dat is het leven van de landbouwer.

Maar als Diewertje jarig is doen ze het op „De Bruune Hoeve” allemaal even kalmer aan. Een verjaardag is toch altijd weer een streepje erbij, een gedenkdag om dankbaarheid te tonen voor het afgelopen jaar.

Maar met tante Stien erbij is het toch wel even een andere dag dan het bijvoorbeeld het vorig jaar 't geval was.

Komt bij dat er een confrontatie plaatsvindt tussen Janna Boele en Australische Stien.

Nu laat Stien merken dat ze een vrouw van de wereld is. Aan niets is ook maar je dát te merken van haar tegenzin in de directrice van huize „Dalenk", zodat Diewertje zich afvraagt of de uitlatingen van Stien onlangs wel zo onvriendelijk bedoeld waren.

Een ander pijnlijk moment was de dikke brief van Nora die Diewertje op tafel bij de andere verjaarspost had laten liggen.

Meinte was zo attent even te komen feliciteren. Hij ging haast schuil achter het enorme boeket zomerbloemen dat hij meetorste.

Stien keek veelbetekenend en dat maakte Diewertje doodverlegen. Ze was zo met zichzelf bezig, dat het haar ontging dat Meintes oog al snel de brief van Nora herkende; al was het alleen al aan het merkwaardige schuine schrift.

Diewertje zette pardoes de schaal met taartjes boven op de post en één ogenblik was er een vreemd ogencontact tussen haar en Meinte. Voor die dwingende blik durfde Diewertje haar ogen niet neer te slaan. Ze kón het zelfs niet. Ze waande zich een vogeltje dat door een groter dier gebiologeerd werd.

Eén ding drong als een pijl door haar heen: dit had ze Meinte kunnen besparen. Ze legde een vraag om vergeving in haar ogen, maar daar scheen Meinte niet op te letten.

Nee, zo'n verjaardag is niet aan één stuk door feest.

„Zo, nu kom ik nog even bij je napraten!"

Dat is Stien, die bij Diewertje naar binnen glipt als ze net voor de nacht wil gaan afsluiten.

Verrast gaat Diewertje haar voor naar de nu weer opgeruimde kleine kamer. Gezellig is het, met al die bloemen!

Het boeket van Meinte heeft een ereplaatsje gekregen. En de doos met kersebonbons van Hendrik Baank staat uitnodigend open op tafel.

Stien duikt weg in een stoel en legt haar benen op een krukje. Zonder make up ziet ze er een stuk ouder uit, vindt Diewertje.

Stien heeft een plastic tasje bij zich en als ze er inkijkt, komt er een zekere spanning over haar. De gevoelige Diewertje ziet zoiets dadelijk.

„Wil je nog wat gebruiken, Stien? Er zijn nog lekkere restjes hoor! Wat wijn en noten, kaas misschien?"

Stien zegt geen nee en zwijgend eet ze, zonder proeven, lijkt het Diewertje toe.

„Kind, ik heb hier wat voor je meegebracht . . . dingetjes van vroeger. Ze zijn na je moeders overlijden in mijn bezit gekomen en ach, ik had het je wel eerder kunnen geven, maar er is niets van waarde bij. Wat foto's en zo . . . Toch heb ik ze maar in mijn koffer gestopt. Misschien dat je het hebben wilt?"

Diewertje is wit geworden.

Wat harteloos van tante Stien om het kind dat ze geweest is iets te onthouden van haar eigen ouders! Ze heeft nu moeite om haar houding te bepalen.

Stien haalt een albumpje uit de tas, bladert er in. Met nerveuze vingers, die het enige blijk zijn van de spanning waar ze toch aan ten prooi schijnt. „Wil je het nu zien? Ach . . . ik dacht altijd: je hebt ze nooit gekend, je ouders, het zou je niet veel gezegd hebben. Er was niet veel dat de moeite waard was om te bewaren, weet je. Maar foto's gooi je niet weg, hè?"

Diewertje krijgt de macht over haar stem terug, al klinkt die vreemd in de eigen oren.

„Ik had níets, nou ja, bijna niets, Stien! En jij geeft het mij nu pas!"

Stien leunt achterover en slaat haar ogen niet neer voor die van Diewertje.

Ze spreidt haar vingers wijdt uit, in een machteloos gebaartje.

„Het is nu eenmaal zo gelopen . . . ik ben indertijd zo druk geweest met het vertrek! Jij had nog geen vast adres en ik was stellig van plan om gauw terug te komen om eh . . . te zien hoe jij het maakte!"

„Toch, toch!"

Diewertje wordt bepaald wat sceptisch.

Stien fronst haar wenkbrauwen. Dat meisje is niet mis. Er schuilt meer vuur in haar dan ze eerst vermoedde.

Misschien kan ze meer verdragen dan ze heeft gedacht.

Diewertje staart naar het ouderwetse fotoalbumpje dat daar verloren op haar tafel ligt.

Ze kan er zich niet toe brengen om erin te kijken waar Stien bij is!

Wat een verjaarscadeau. Waarom doet het toch zo zeer?
Stien heeft nog meer. Ze legt een doosje boven op het album. Het is beplakt met donkerblauw gemarmerd papier.

„Daar zitten wat snuisterijen in, die van je moeder zijn geweest, Diewertje!"

Daar zit ze nu, Diewertje Kaptyne. Te staren met droge ogen naar een dingedoosje van haar moeder. Waarom voelt ze nu niets? Ze knikt alleen.

„Ik eh . . . zal dat straks in mijn eentje wel bekijken, Stien!"

Nu is Diewertje even de oudste van de twee, schijnt het. Stien frommelt in haar tas en duikt een sigarettenkoker op. Vuur . . . heeft Diewertje een doosje lucifers?

Diewertje gaat naar haar aanrechtje en pakt het doosje dat bij het gasstelletje altijd voor het grijpen ligt. Ze werpt het met een onverschillig gebaar Stien toe.

Na een paar woeste trekken aan de sigaret, de rook voor het gezicht wegwapperend, vat Stien moed om voor zichzelf óp te komen. Ze wil zich verdedigen, haar houding van toen.

Verhip, die Diewertje is toch geen kleuter meer! Ze is nu net zo oud als zíj, Stien, was toen ze voor die moeilijkheden stond.

En in wat voor tijd! Reken alleen maar eens het toen geldende normbesef. In zo'n twintig jaar is er heel wat veranderd!

Toch is die Diewertje net zo'n eigenwijs en rechtlijnig wezen als haar moeder was, vindt ze.

„Tja, ik heb je altijd geschreven dat je bij ons kon komen als je achttien zou zijn geworden. Dat ben je ondertussen óók al niet meer, maar het aanbod blijft van kracht!"

Diewertje vouwt haar armen over elkaar. Zwijgend.

Stien draait ongemakkelijk op haar stoel. Zou je haar niet? Het is toch een áánbod, of niet? Wat heeft zij als nicht van haar moeder aan haar eigenlijk voor verplichtingen?

Niet één.

Niet één reële plicht!

Ze waren zelfs geen vriendinnen. De enige band was dat ze dezelfde grootmoeder hadden.

Nee, er is geen reden om Diewertje wat voor te liegen, haar te sparen. En zij, Stien, vertikt het om in een kwaad daglicht gesteld te worden door zo'n jong ding!

„Weet je, je moeder was in verwachting van haar tweede kind, van jou ..." Ze doet een felle haal aan de sigaret en de punt licht fel op in de kamer waar alleen maar een kleine schemerlamp aan is.

Diewertje richt zich op. Wat zei Stien daar?!

„Tweede kind ...?"

Stien heeft succes met haar pijl.

Ze knikt.

Vervolgt dan: „Ik was net verloofd ... stond zelfs op het punt van trouwen. Mijn aanstaande kwam uit een uitstekende familie! Streng gelovig ook nog, je kent dat misschien? Goed ... Je vader verongelukte totaal overbodig. Je moeder, overdreven gevoelig als ze was, kreeg een inzinking. Ze had geen aandacht meer voor haar zoontje ja, je hebt een broertje gehad!"

Diewertje slaat in een soort zelfbescherming de handen voor de ogen. Beelden, werkelijkheid vermengd met fantasie trekken langs haar heen. Een zwaar medelijden doorzindert haar met die jonge vrouw, haar moeder.

De ietwat nasale stem van Stien gaat meedogenloos verder.

„Ze brachten het jongetje bij mij ... ik had een etage, en vlak voor mijn huwelijk was ik gestopt met mijn werk. Al die voorbereidingen, de emigratie, je snapt het wel! Goed, ik was dolgelukkig met mijn verloofde ... een verbintenis met hem was een stap vooruit in kringen waar ikzelf nooit in beland zou zijn. Onze trouwdag werd even uitgesteld in verband met die logeerpartij. Dat eh ... was mijn plicht, zo vond ook mijn aanstaande schoonfamilie! Ik had met je moeder alleen als band dat we beiden wees waren!"

„Ja ... en?"

Stien zucht diep.

„Nou, toen werd jij geboren in het ziekenhuis. Toestanden. Je moeder was geestelijk en lichamelijk totaal verslapt. Ik was de enige die ze op bezoek wilde hebben. Met het kind. Je broertje. Ja, een aardig ventje, maar zwak. Je moeder was de wanhoop nabij ... ze kon je niet voeden, nauwelijks vasthouden. Zo slap was ze. Maar daar was onze geliefde hoofdzuster

Boele! Oei, wat was die streng! Die wist wat commanderen was. O, ik vond haar een haai... Ze is niet lang daarna dan ook gescheiden, naar ik meen. Maar goed, je moeder moest verzorging hebben en ze had alleen iets spaargeld en een klein pensioentje. Toen werd van míj, de bruid, verwacht dat ik mijn huwelijk nog langer uit zou stellen, haar verzorgen en op de been helpen. Ze woonde, tijdelijk, in een houten huisje, een zomerverblijf. Toen haar man nog leefde wilden ze namelijk ergens anders gaan wonen... dat zomerhuisje was een soort overbruggings-verblijf, nogal buitenaf. Het was al die tijd gesloten. Ze durfde er ook niet weer heen vanwege de herinneringen! Toen ik eens bij haar in het ziekenhuis kwam en me liet ontvallen dat ik gauw zou vertrekken, was Holland in last! Ze klampte zich aan me vast, ik wist me geen raad! Ik durfde het later niet aan mijn aanstaande te zeggen... die begreep zoiets toen niet. Natuurlijk moet jij niet denken dat ik niet met haar te doen had! Maar ik had overdag mijn handen vol aan dat kind. En alles wat daarbij kwam hè? Je begrijpt dat er een dramatische ontknoping op volgde! Ik ging nijdig weg. Dat was het enige, hoor je, het enige dat ik niet had moeten doen! Enfin... ze schijnt radeloos te zijn geworden. Ze zat onder de medicijnen. Ze had toch geen borstvoeding, dus wat gaf het... maar wat haar er toe gedreven heeft wèg te lopen! 's Nachts heeft ze zich aangekleed en is weggeglipt. Via een openstaand raam is ze op de benedenverdieping binnengekomen. Heeft het jongetje zonder meer uit zijn bed gelicht... hij was twee, weet je. Ach, en toen is ze gelopen naar een taxicentrale... Dat is later uitgezocht! En ze heeft zich in de buurt van dat zomerhuisje laten afzetten. Wat daar precies is gebeurd, kan niemand navertellen! Ze heeft daar op de één of andere manier de gasflessen verkeerd aangesloten. Het kind is gestikt... in zijn slaap. En zij, wel, ze merkte niet eens dat er brand uitbrak. Ik weet het, het is geen aardig verhaal... Sorry...

En toen ontdekte een boer die vroeg ging melken de brand. Het kind was dood en zij, ach, ze hebben haar nog naar het ziekenhuis gebracht! Maar ze kreeg wat ze wilde: de dood. En toen kwam de pers! Wat een ellende! Kun je je dát voorstellen!" De tranen van zelfmedelijden springen Stien nu nog in de ogen bij die herinnering! Hoe kan ze Diewertje uitleggen dat die ellende bijna de oorzaak van een verbroken verloving was geweest! Haar schoonouders waren furieus! Hun geëerde zoon trouwen met een meisje wier nicht op zo'n manier in de krant had gestaan. Foto's van het jongetje en zijn moeder . . . Ze ziet de kop in de krant nog voor zich: „De tragiek slaat toe". En die open vraag of het zelfmoord was geweest?

„Ze leefde niet lang meer . . . je moeder. Ze had niets meer, alléén jij was er nog maar . . ."

En Diewertje denkt stilletjes: „Máár" . . . Zo is het nu nog. Een mus, dat was ze toen dus al.

Fel komt Stien nu, merkt niet dat een lange askegel op haar kanten bloes valt.

„En toen stelde die Boele me voor om jou te adopteren . . . ik ging toch trouwen. En voor jou zou het zo'n schande wezen, het kind te zijn van een moeder die zo omsprong met een kleine jongen, geen verantwoordelijkheidsgevoel kende voor de baby! Nota bene . . . geen moment dacht Janna aan mij! Ik, de bruid, die alles op alles moest zetten om mijn goeie naam te behouden! Mijn schoonvader had allerlei functies, snap je! En toen zei ik: „Nee Janna, ik kan dat mijn verloofde niet aandoen. Hij wil kinderen van zichzelf! We kunnen niet starten met zo'n vlek op ons huwelijk. Als je moeder nu niet zo dwaas had gedaan! Maar ja, ze is altijd nogal impulsief geweest!"

Als ze eraan terug denkt! „En die ellendige kranten! Het was al erg genoeg dat mijn naam erin vermeld is geweest! Ik kon me er nog van distantiëren. We zijn spoedig getrouwd. En ik had géén zin om Janna dat koffertje spulletjes terug te brengen. Ik dacht, ach, die paar kiekjes! die krijgt ze later wel. We hebben er uit de verte op toegezien dat het je aan niets ontbrak hoor! Je kreeg met je verjaardag iets en met Kerst. En je ging in een uitstekend kindertehuis. Ik hoopte dat je geadopteerd zou worden, maar daarvoor heeft Janna nooit haar best gedaan geloof ik! Ja, die Janna is in de kinderverzorging gegaan en toen ze hier naar toe ging nam ze jou mee. Heeft ze nooit laten merken dat ze je moeder verpleegd heeft?"

Diewertje zit te vol om te kunnen antwoorden.

Ze zou weg willen kruipen voor die stem, het vreselijke dat ze te horen heeft gekregen. Nooit zal het meer zijn als vóór deze verjaardag.

Wat een geschenk! En toch heeft ze diep medelijden met haar moeder. Wat een leed heeft die moeten doormaken.

En wat zal ze gevoeld hebben dat ze door haar enige familielid in de steek is gelaten!

Maar om dan zo je leven te eindigen . . . zíj, Diewertje was er toch? Was zij dan niets voor die jonge vrouw?

Stien gaat verder. Vertelt toen die kranten te hebben willen bewaren voor Diewertje als bewijs.

„Bewijs!" schiet Diewertje nu uit. „Waarvoor in vredesnaam?"

Stien schokschoudert.

„Nou, als jij mij wat wilde verwijten dat ik je toch had moeten laten overkomen . . . zulke geschiedenissen lekken allemaal eens uit. En gezien de positie van mijn man in Australië en die van zijn familie hier, was dat erg moeilijk. En toen onze jongens geboren werden konden we ze niet aandoen een nichtje in huis te halen dat uit ouders geboren was die eh . . . nu ja, labiel waren zal ik maar zeggen. Dat zul je snappen!"

Nee, Diewertje, snapt het niet.

Maar het raadsel van veel waaroms is opgelost.

Moe kijkt ze Stien aan. „Is dat alles!"

Stien knikt, verward nu.

„Ga dan maar . . . ik moet echt alleen zijn. Bedankt dat je het niet weggegooid hebt!"

Stien veert omhoog. Blij dat moeilijke achter de rug te hebben. „Kind, je komt er wel overheen! Het is zó lang geleden! Een half mensenleven. Enne . . . je hebt het goed gehad, nietwaar? Maar als je nu nog wilt, je mag nu best komen. Haha! Het is, zou je kunnen stellen, verjaard! Niemand weet er nu nog iets van. O boy, denk er maar eens over!"

Diewertje doet de deur open en de nachtlucht komt bezwangerd van kamperfoeliegeuren, naar binnen gedreven.

„Dag Stien. Welterusten. Maar ik kom nooit . . . ik denk dat ik teveel op . . . op mijn moeder lijk!"

Diewertje sluit zacht de deur achter Stiens rug – leunt er tegenaan in pure machteloosheid. Ze laat zich op de vloer zakken in de houding zoals dat een oerwoudmens zou doen: gehurkt, het hoofd gebogen en de armen om de knieën geslagen.

De houding ook van een ongeboren mensenkind.

HOOFDSTUK 21

Hoe Diewertje die avond in bed gekomen is, zou ze later met geen mogelijkheid kunnen navertellen.

Wel weet ze dat het foto-album en het blauwe doosje in een lade zijn weggeborgen.

Om dat goed te kunnen bekijken, moet dat zere éérst herstellen. Trouwens: valt er wel wat te herstellen! Ze weet nu wat ze al zo lang wilde weten! Iets over haar ouders.

Een moeder die haar in de steek heeft gelaten . . . zichzelf en een kleine jongen heeft omgebracht uit wanhoop. Goed . . . maar heeft dan niemand aan háár gedacht?

Behalve Janna Boele dan. Toch neemt Diewertje het haar kwalijk dat ze al die jaren geweten en gezwegen heeft.

Gezwegen over het feit dat ze door de familie niet gewenst was . . . dat zou achteraf al die dromen niet zo pijnlijk maken.

De tante in Australië! Een lachertje is het!

Het liefst zou Diewertje haar nooit weer zien. En dat fraaie vest van schapewol mag ze terugnemen.

Het is de veerkracht van de jeugd die haar 's morgens normaal doet opstaan.

„Niemand heeft er wat mee te maken!" dat is de eerste bewuste gedachte die ze toelaat in het slaperig brein.

Kom op Diewertje, laat zien dat je uit ander hout dan je moeder bent gesneden, houdt ze zichzelf voor.

Ze haast zich naar de boerderij. De lucht is vol ochtendgeluiden. De hanen kraaien en ook de vogels zijn wakker. Soms, zo vraagt Diewertje zich af, of die überhaupt wel gaan slapen!

Reintje begroet haar als eerste. Uitbundig. Hij springt tegen haar op en rust niet voor hij haar wang een ferme lik heeft gegeven. Net of hij aanvoelt dat er iets niet pluis is.

Christiaan is al in de stal, hoort ze. Maar Margje neemt het er nog even van. Ze zal haar gauw een kopje thee op bed brengen. Ze is al zo op de helft van de nieuwe zwangerschap. Wat gaat de tijd vlug . . . en even reizen haar gedachten naar Nora, die schrijft dat ze zo happy is met haar arts. Aan terugkomen denken ze voorlopig niet. Dat een mens zo veranderen kan, van verstard vrijgezel tóch in de huwelijksboot: „Dat had je achter mij niet gezocht, hè meid?"

Diewertje hoort het Nora zeggen.

En een paar regels over Meinte . . . of hij nog nijdig op haar zou zijn?

Peinzend schenkt Diewertje het kokende water op de thee. Hè, wat ruikt dat lekker. Versterkend. Ze zal zelf ook maar vast wat nemen. Ze hoopt dat ze Stien vandaag niet veel te zien krijgt. Hoe zou die zich voelen na al die verklaringen? Tevreden?

Kom, niet piekeren nu . . . weg, wèg met die nare gedachten. Saskia. Daar wil ze aan denken, en aan het kleintje, aan haar ouders Remco en Barbara. Of ze zin had om met vakantie naar Lübeck te komen? Als ze zou willen voorgoed!

Kennissen zochten een hulp voor hun kinderen! Of het haar niets lijkt om aan een meer in het zuiden van Duitsland te gaan wonen?

Wie weet.

Wie weet!

Margje is aangenaam verrast. Thee op bed, een beschuitje, toe maar. „Geen beter leven dan een goed leven! Dat zou moeke zeggen, Diewertje! Trouwens: had jij Stien nog zo laat op bezoek? Christiaan liet Reintje uit en die zei dat er bij jou nog licht brandde . . . Wat een mens. Ik geloof niet dat ik haar zo graag mag, Diewertje!"

Diewertje rukt de gordijnen open. Staart over de velden waar de mais al hoger en hoger begint te worden. Straks zitten ze er tot oktober weer achter.

„Mm? Nee . . . ze is zo anders dan wij. Ik voel me geen familie van haar! Laat maar, Margje. Ze gaat wel weer binnenkort en ik ga nooit en nooit naar Australië!"

Dat laatste komt er heftig uit en Margje weet niet anders te doen dan zwijgend haar thee te drinken.

Stien krijgt ze de hele dag niet te zien.

Al vroeg is ze er op uit getrokken, richting dorp. Dat betekent waarschijnlijk dat ze met de trein één van haar vele uitstappen maakt.

Diewertje werkt de hele dag als een paard.

Maar dat wreekt zich best aan het eind van de dag.

Ze heeft geen lust om in de kruidentuin te werken. En het boek dat ze van Margje geleend heeft kan haar niet boeien.

Zal ze dan toch . . .

Voor ze het weet heeft ze het laatje van het buffetje opengetrokken. Sidderend houdt ze het albumpje vast.

Dit heeft haar moeder net zo vast gehouden. En misschien haar vader. Zouden ze van elkaar gehouden hebben?

Dat moet wel, anders was ze wel over het gemis heen gekomen.

Voorin staat in een rond handschrift: „Voor mijn lieve kleindochter, van oma de Weerd."

Moeders oma, wat is dat lang geleden.

Op de eerste pagina een gele kiek van twee oude mensen. In blokletters staat er onder: opa en oma in hun tuin.

Zou dat oma de Weerd zijn geweest? Háár overgrootmoeder . . .

Dan een paar foto's van moeder als kind met haar ouders. Het is of Diewertje zichzelf ziet.

Een teer meisje met heldere ogen. Alleen het haar krult en dat van háár is praktisch stijl. En de ogenkleur kan ze helaas niet gewaar worden op de zwart-wit afdruk.

Diewertje gaat met het album en het doosje op de rand van haar bed zitten.

Ze bladert. Voorzichtig slaat ze telkens eerst het doorzichtige beschermblad waarop een ragfijn spinmotief is gedrukt om.

Dan, opeens, is het gebeurd met de jeugdfoto's.

Want dan kijkt Diewertje recht in het lachende gezicht van haar vader. Een stoere zeeman, jong, vrolijk en Diewertje voelt zich aangesproken. Lijkt hij niet iets op Meinte? Die lach, de sterke tanden.

Hij moet wel ouder dan moeder zijn geweest! Vreemd, dat ze niets en niets weet van hen beiden.

Dan vader en moeder samen, de armen om elkaar heen. Hé, die mode, dat zou nu wel weer kunnen. Dat bloesje met richels en randjes! Die wijde rok.

Een meisje is moeder naast die sterke kerel.

Ach . . . en dan wordt het Diewertje teveel.

Er rollen een paar babyfoto's uit. Er achterop staat: „Onze lieve Siebe is twee maanden oud".

Haar broer!

Tranen woezelen voor haar ogen. Waarom o, waarom zoveel leed in één gezin? Terwijl het andere schijnbaar zorgeloos voortleeft!

Ze dwingt zich verder te gaan.

Weer een verrassing: Haar moeder achter een vleugel, gekleed in een avondtoilet. Nu weet ze meteen van wie ze haar muzikaliteit heeft geërfd.

Toch was moeder charmant, vindt Diewertje. Ze had iets wat ze van zichzelf vindt dat zij dat niet heeft. Misschien – misschien heeft het geluk haar zo mooi gemaakt?

Er komen nog meer babyfoto's.

Een lief kereltje, téér, zoals Stien heeft verteld.

Diewertje klapt het albumpje dicht.

Het zegt haar veel en tegelijkertijd zo bitter weinig! Nu heeft ze nog meer vragen dan voorheen. Maar daar zal ze mee moeten leren leven! Misschien heeft het doosje nog iets dat een klein beetje troost!

Het dekseltje zit vastgeplakt met een stukje plakband, dat allang niet meer in de handel is.

Waarschijnlijk heeft Stien nooit meer de moed gehad het te openen. Zal zij, Diewertje, er haar nog dankbaar voor moeten wezen dát ze het gekregen heeft!

Alsof het een relikwie is, zo behoedzaam opent ze het deksel. De watjes die bovenin liggen zijn vergeeld. Er is een geurtje van mottenballen.

Diewertje haalt diep adem en tilt een tipje op van de watjes. Sieraden, ziet ze. Waarschijnlijk geen waardevolle, maar wel mooi.

Twee ringen! Trouwringen. Die moet Stien er toch ingedaan hebben! Die twee voorwerpjes liggen daar als zwijgende

getuigen.
Diewertje schuift de kleinste ring aan haar vinger. Die moet van moeder zijn geweest. Ze zijn veel smaller dan die van Margje en haar man.
Binnenin staan de namen en de trouwdatum. Ze vlijt ze weer terug in het doosje.
Kijk, een broche, versierd met kleine steentjes. Het stelt een vioolsleutel voor. Later, dan zal ze hem dragen.
Ach, en dat! Dat zou ze zelf hebben kunnen uitzoeken. Een zilveren vogeltje, zo teer. Een waar kunstwerkje. Er zit een hanger achter en Diewertje besluit dat juweeltje eruit te halen. Dat past bij haar, de mus!
Maar onderin ligt iets dat de tranen weer te voorschijn roept. Een zakje waarop staat: „Van Siebe, één jaar." Er in is een plukje vlasblond haar.
Dan komen eindelijk de verlossende tranen.
Diewertje Kaptyne rouwt om haar ouders en broertje.

De volgende dag komt Stien Diewertje, die met Erik-Jan naar zijn grootouders wil wandelen, op het erf tegemoet.
„Ik heb een brief gekregen uit Australië, Diewertje. En men verzoekt mij zo gauw mogelijk terug te komen. De huishoudster die de boel runt heeft een sterfgeval in de familie en blijft een paar maanden weg! Een ramp hoor. Enfin, ik heb toch het meeste gedaan wat ik van plan was. De rest van Europa komt later met mijn gezin wel! Ik ga vrijdag weg. Wil je het tegen Margje zeggen, misschien dat ze het huis nog verhuren wil of zo . . . O boy, ik heb zó veel te doen nog!"
En weg is Stien weer.
Diewertje denkt er het hare van. Stien heeft zichzelf schoongepraat, duidelijk gemaakt dat er van haar kant niets te verwachten viel.
O! ze wou dat ze haar mond maar had gehouden. Beter niets te weten, te dromen, dan dat nare, dat zere.
Voor ze met de kleine jongen op de verharde weg is roept Margje uit het raam dat Mikke gebeld heeft. Of Diewertje haar verjaarscadeautje wil komen halen. Ze is niet zo goed te pas en ziet er tegen op om er uit te gaan.

„Maar ik zou naar je ouders!"

„Ga maar naar Mikke . . . dan kun je morgen of zo nog wel naar 'Het andere huus!' "

Diewertje draait de wandelwagen de andere kant op. Glimlacht om de benaming van het ouderlijk huis van de Wickes. Toen ze van „De Bruune Hoeve" vertrokken was het: „We gaan nu in 'Het andere huus' wonen." En zo is het gebleven.

Erik-Jan geniet van het tochtje. Zijn bruine beentjes schoppen elke keer de speeltjes de weg op.

Zijn mollige handjes doen de belletjes die aan een koordje hangen, rinkelen.

Diewertje zet hem zorgzaam het zonnehoedje op als ze op de vlakte wandelen. Ondertussen babbelt ze aan één stuk met het ventje. Hij is heel wat stoerder dan haar broertje is geweest en Diewertje denkt aan het plukje babyhaar.

Moe is ze, doodmoe van al dat denken. En dat enge gevoel in haar borstkas als ze aan Stien denkt! Haat, dat is haat. En dat heeft ze nog nooit gekend!

Bij Mikke in huis is het koel. Na de zonnewarmte bepaald huiverig.

Mikke kust Diewertje op de beide wangen, en Erik-Jan krijgt een aai over zijn bolletje.

„Ta-tá!" jubelt hij en Mikke ziet meteen dat er een tandje bij is gekomen.

„Kom maar, lieverd, dan gaan we in mijn achtertuintje zitten. Daar is het nu zo heerlijk!"

Mikke heeft niets te veel beloofd.

Het tuintje is helemaal ommuurd met rode bakstenen. Wilde wingerd vindt er ongestoord een weg.

Trouwens: ook de ietwat verwilderde struiken kunnen hun gang gaan, er is geen hand die ze snoeit.

Zoals de boerenjasmijn geurt! Dat kan geen parfumfabrikant namaken. Opzij van het steentjesterrasje is een boog, die noodt naar het achter liggende prieeltje te gaan.

Roze rozen hangen zwaar aan dunne stelen, tussen de dorens en het woekerende blad.

„Wat romantisch is het hier . . . en zo rustig!" verzucht Diewertje.

Mikke hinkt naar de gereedstaande stoelen. De thee is al klaar. „Kom, kind, ga zitten . . . je ziet er zo moe uit! Komt dat van je feest! Wat, nu heb ik je nog niet ééńs gefeliciteerd!"

Nu moet Diewertje zich naar haar toebuigen om de verjaarszoen in ontvangst te nemen.

En natuurlijk het cadeautje.

Dit keer krijgt Diewertje een fijn gehaakte stola, van zachte pastelkleuren.

„Dat zal je goed staan, mekind. Dat past bij je blanke type!"

Die Mikke, altijd maar geven. Erik-Jan krijgt een gebreide bal, die hij meteen met kracht tussen de rozen mept.

Diewertje schiet in de lach. Wat een heerlijk kind is het toch. Het zal over een tijd best een handenbinder worden, dat voorziet ze al wel.

Hij is veel te jong voor de kracht in dat forse lijfje.

De thee smaakt bij Mikke „ouderwets". Sterk, zoet en een wolkje melk.

„Wat heb je toch een mooie spullen Mikke", bewondert Diewertje. Die theepot en alles wat erbij hoort. Maar het aardigst vindt ze toch het theeblad, blauw gebloemd porselein en een zilveren opstaande rand.

Als het huis van haar moeder toen niet verbrand was, misschien zou er wel wat voor haar zijn bewaard als herinnering.

Twee tranen wellen ongewild op in Diewertjes anders zo heldere ogen.

Mikke stopt een naar eau de cologne geurend doekje in haar hand. Zíj heeft allang gezien dat er wat aan hapert.

„Mekind, vertel het Mikke maar . . ."

En Diewertje vertelt.

Mikke weet immers wat luisteren is? Dat hebben al zoveel dorpelingen ervaren.

Diewertje streelt het nu slaperig-leunend kopje van de baby terwijl ze naar woorden zoekt.

Tot ze aan dat laatste komt, die nieuwe ontdekking van haat in haar hart. Dat mag toch niet.

Een christen màg niet zo haten! Wat moet ze daarmee aan!

Mikke hoeft niet naar woorden te zoeken. Zij krijgt de inspiratie van Hogerhand!

Ze tracht Diewertje te laten zien hoe klein sommige mensen kunnen zijn als het op hun eer en aanzien aankomt. Dat ze alles en iedereen voorbij kunnen gaan om hun eigen gestelde doel te bereiken.

Tante Stien met haar babbels is eigenlijk een stakker, die al jaren zoekt en zoekt. Maar het buiten God nooit vinden zal!

Ziet Diewertje dat wel?

En dat erge wat haar moeder gedaan heeft? Dat had Stien nooit mogen laten weerhouden om zich over het kleine achternichtje te ontfermen. Zoals die vrouw nu haar schuldgevoelens wegpraat! Egoïstisch was en is ze.

„Ze zal nooit veranderen Diewertje, als ze Christus niet aanvaardt als haar Verlosser! Kind, zal je voor haar bidden, haar niet loslaten?"

Daar moet Diewertje even over denken. Bidden voor iemand die jóu heeft laten zitten, als hulpeloos kindje. Om toch maar geen slechte naam te krijgen bij de mensen.

Diewertje drinkt van het tweede kopje thee dat eigenlijk te sterk is geworden, maar veel proeven doet ze niet. Automatisch jaagt haar hand de lastige vliegen bij de baby weg.

Bidden . . . voor Stien?

„Diewertje, de Heiland bad voor ons aan het kruis, weet je wel? Nu, dan kunnen wij zoiets als dat ook opbrengen, voor Hém! Toon in woorden en in daden dat je bent een christenkind, dat stond vroeger op een tekst van de zondagsschool. Vergeven is het mooiste dat bestaat . . . het geeft rust in het hart, lieverd!"

Zo, daar kan Diewertje het mee doen. Het geeft nieuwe denkstof.

„Zou jíj je wat van de mensen aangetrokken hebben Mikke, in Stiens geval! Zou jij het een schande hebben gevonden?"

Mikke schudt haar hoofd. Zij niet. Maar de mensen zijn verschillend. „Stien is nooit klaar gekomen met dat probleem, Diewertje. Ze wil haar straatje schoonhouden met kunst en vliegwerk. Al heeft ze jou moeten bezwaren met verdrietigheden die je geen stap verder brengen en bovendien de nagedachtenis van je moeder schaden. Diewertje, ook je moeder moet je vergeven ..."

Als Diewertje geluidloos begint te schreien, is daar de zachte hand van het kreupele vrouwtje.

„Zullen we dan samen bidden, meiske?"

Heel stil is het in het hofjesachtige tuintje. Vanachter de oude muur klinken vér de kinderstemmen, blije zomergeluiden.

En bínnen die muur is de liefdevolle stem van Mikke.

HOOFDSTUK 22

„Man, ik ben blij dat je weer méédraait!"

Meinte stompt zijn collega onzacht tegen de ribbenkast, dat is zo zijn manier om de vreugde te uiten.

Het was haast geen doen meer om de praktijk alleen te runnen. Hijma grinnikt. Hij zal nog kalm aan moeten doen.

„De spoedgevallen zijn anders mooi voor jou, beste jongen! En laten we het nu eerst eens over jouw vakantie hebben. Daar zul je wel aan toe zijn zo langzamerhand!"

Maar Meinte moet voorlopig nog niets van vakantie hebben. Hij wacht liever tot de winter, de wintersport trekt hem. Enne ... als hij eerlijk is, trekt er op dit moment wat anders.

Maar dat durft hij voorlopig nog niet prijs te geven. Zelf is hij maar nauwelijks gewend aan die nieuwe verlangens!

Hijma haakt op zijn woorden in: „Je schijnt in ieder geval het één en ander te boven te zijn. Offe ... mag ik daar niets van zeggen!"

Meinte grinnikt wat voor zich heen. De tijd zal het leren.

Nog een stomp voor Hans Hijma. „Sorry kerel, sorry. Daar heb je nou mooi es niks mee te maken!"

En als Meinte 's avonds alléén in zijn tuin zit te genieten van het avondblad, zijn pijp en een glas bier, groeit dat verlangen in hem tot ongekende diepte.

Het verlangen om die kleine Mus stevig in zijn beide armen te mogen houden. Dat gezichtje kussen en kussen tot het rozig

[...] Diewertje smekend aanzien en vragen of ze óók eens met hem of haar uitgaat, kan ze geen „nee" zeggen.

En het kindergroepje, dat meer een club is dan koor, vraagt ook wat van haar vrije tijd.

Maar wat die Baanks betreft, dat slaat alles! Margje en Christiaan ergeren zich ook zo aan die veeleisende houding van die buurvrouw.

Margje vindt Diewertje te meegaand, tè toegevend. Maar daar is ze het zelf niet mee eens. Meinte maakte onlangs mee dat ze kalmpjes beweerde een bepaalde tactiek op buurvrouw toe te passen. „Ze dénkt dat ze alles met me kan doen, maar dat is niet zo. Zolang ze dat echter méént, blijft ze tamelijk actief. Ze móet wat te mopperen en te klagen hebben. Maar ja, het is geen mens om de héle dag mee op te trekken!"

Toen is het hem klaar geworden dat het diep zit, zijn gevoelens voor Diewertje. Want waarom kan hij niet verdragen dat zij die opmerking maakte! De hele dag bij Baank kan maar één ding betekenen. Als Hendriks vrouw zou ze de hele dag immers moeten optrekken met haar.

Dat heeft hem, Meinte, dagen door het hoofd gespookt. Toen kwam hij tot de glorieuze ontdekking dat hij haar liefheeft. Haar geestkracht, die combinatie van vrouwelijke zuiverheid en kinderlijk vertrouwen. Allerlei herinneringen kwamen boven drijven. Hij weet zeker dat hij haar niet onverschillig is. Maar of dat genoeg is! En de concurrentie van Hendrik is niet mis. Hoe die veranderd is door die eigenwijze Diewertje! Een heel andere man dan een half jaar terug. Ja, Diewertje kan wonderen verrichten in een ander mens.

Wat een ander soort liefde voelt hij voor haar dan toen voor Nora! Ach, het zal erbij hebben gehoord! Nu ziet hij het verlangen naar haar als een groeistuip. Welke man zou niet verlangen om bij Nora in de smaak te vallen! Haar hele uiterlijk is nu eenmaal zo dat je sterk moet wezen om daar koel voor te blijven. Behalve als je dat àndere kent, dat wat hij nu in Diewertje heeft leren liefhebben. O ja, hij verlangt naar haar. Hij is geen jochie meer. Doch zijn les heeft hij geleerd. Niet hals over kop je in die roes storten! O, wat is hij nu, achteraf, dankbaar met Nora niet verder te zijn gegaan in de relatie. Al was het voor hem soms bere-moeilijk. De verleiding haast te groot.

En dan óók nog het milde gespot van haar: wees toch niet zo antiek, lieveling! We zijn zoals we geschapen zijn, een man en een vrouw!

Meinte richt zich op. Fier, verlangen in zijn ogen. Ja, zo was het goed. Hij kan Diewertje iets bieden dat voor háár alleen is. Zijn trouw zal niet alleen geestelijk zijn.

„Christiaan, hélp, de kat!"

Diewertje komt de hoeve binnengestormd zonder voeten te vegen, hét bewijs dat er iets mis is.

Christiaan draait de knop van Hilversum vier zacht en beent achter haar aan, met Margje in zijn kielzog.

Over haar schouder vertelt Diewertje wat er aan de hand is.

„Blackie zat achter een vogeltje aan . . . ik zag het gebeuren. Ik wilde haar wegjagen en toen sprong de poes in die rol prikkeldraad! Achter de gereedschapsschuur!"

Ze staat even stil. Haar borst gaat hijgend op en neer. Zij wijst met haar vinger naar een kleine ruimte tusen twee schuren in.

„Ze bloedde zo . . . ach, en nu heeft ze zich verstopt, dáár!"

Christiaan buigt zich naar de donkere spleet en hoort een blazend geluid.

„Pas op, hoor! Zo'n kat kan vals zijn!"

Dat is Margje, die graag narigheid voorkomt. Zoals Diewertje toch gek met die poezen is, nog meer dan zij.

Christiaan haalt uit de schuur een paar werkhandschoenen en weet zo de weerstrevende kat uit haar schuilplaats te pakken.

Inderdaad, Diewertje heeft niet overdreven. Het bloed sijpelt uit een wondje opzij van de buik.

Angstig blikt ze Christiaan aan. „Hij hoeft toch niet dóód!"

Christiaan grinnikt. Wat een liefde, verspild aan een beest. „Haal maar een mandje, dan zullen we hem even naar Hijma brengen . . . of misschien is Meinte er wel!"

Margje haalt een picknickmand met twee kleppen. Een uitstekend vervoermiddel voor het krabbende dier.

Christiaan haalt de auto en zet de mand op de achterbank. Maar als hij wil instappen, komt er nét een vertegenwoordiger van kippenvoerbakken en soortgelijke artikelen, het erf op rijden.

„Ik ga wel alléén!"

Margje kijkt van de mand naar Diewertje. „Heus . . ."

Maar Diewertje schuift al op de bestuurdersplaats. „Je hebt me niet voor niets het rijbewijs laten halen!"

Hortend en stotend rijdt ze het erf af, richting dierenarts.

Het avondspreekuur voor kleine dieren is net afgelopen en de praktijkdeur zit op slot.

Nerveus drukt Diewertje langdurig op de bel. Verhip! Als er nu maar iemand is.

Ze hoort lopen in de gang. Herkent de stap van Meinte, maar dat laat haar nu onverschillig, al bonkt haar hart wel erg hard voor de poes alleen . . .

Meinte kijkt haar een ogenblik verrast aan. „Wiebertje . . ." Geen ogenblik is ze uit zijn gedachten, hij zou haar zo in de armen willen trekken. Wat vreemd is dat, toen ze tijden geleden samenwerkten en de maaltijden op „De Bruune Hoeve" gebruikten was het gewoon als hij haar speels aan de haren trok, een zoentje op de wang gaf of de schortbanden achter haar rug vast in de knoop legde. En nu: nu durft hij haar niet áán te raken, alleen door de gedachten die hij koestert. Maar ja, hij wil nú ook wat anders dan schortbanden vastbinden!

Een blik op de mand vertelt hem wat er aan de hand is! Door de kieren kan hij naar Blackie gluren, die angstig in elkaar gedoken zit.

„Zou ze er niet aan dood gaan!"

Diewertjes ogen staan bepaald angstig. Maar Meinte lacht en zegt op beschermende toon: „Een kat heeft zeven levens, wist je dat niet! Hoe is die wond gekomen! Maar kom er eerst in, dan kun je eh . . . het huis straks meteen even zien, hm?"

Hij loopt met een boog om haar heen om de deur achter haar te sluiten.

„Het ruikt hier nieuw!" Diewertje keurt in één oogopslag de donkerbruine haltegels, het smaakvolle kleedje dat schuin voor een antiek tafeltje ligt.

Nora. Nora. Nora. Het zoemt door haar hoofd. Zou Nora dit hebben helpen uitzoeken?

„Kom hier met de patiënt. We zullen dat katje maar niet zonder handschoenen aan pakken, hè?"

En Diewertje, die haar ogen verlegen neerslaat voor die onverklaarbare warme blik die Meinte haar toezendt, zegt: „Te!"

Niet begrijpend fronst Meinte zijn wenkbrauwen. Te?

O! Patiën*te*. Blackie is een dame.

Dan onderbreekt de telefoon de bezigheden.

„Sorry . . . een ogenblik Wieber!" Meinte grijpt de hoorn van het toestel.

„Baank, ja! Zeg 't es!"

Meinte luistert ingespannen naar de stem aan de andere kant van de lijn.

Die is zo luid, dat Diewertje mee kan horen. Het gaat over het paard Rietje dat iets in een hoef heeft en steels gluurt Diewertje naar Meinte, die geduldig antwoordt.

De stijf gesteven witte jasschort staat hem goed . . . wat lijkt hij in die kledij bruin, vindt ze. Een echte veearts is-ie zo. Eigenlijk kent ze hem alleen in zijn buitenwerkkleding. Ach, wat kan liefde pijn doen. Ze zou graag die witte rug strelen. O Nora, wat heb je weggegooid.

Ze volgt de bewegingen van zijn handen, de knikjes van het

hoofd. Maar ze ziet niet dat hij haar ook ziet, al is het wat vervormd in de weerspiegeling van de ruit. Hij raakt er door in de war. Wat zegt die Hendrik nou weer over dat oude paard, o ja, natuurlijk. Hij komt straks wel even, na een spoedgeval. „Eh . . .: Ik kom wel even naar je kat kijken. Wat? Natuurlijk, hahaha! Het paard! Dag!"

Net als hij lachend de telefoon op de haak wil leggen, gilt Diewertje: „Meinte! Help!"

Ze heeft zitten spelen met de sluiting van de mand en de kat in het nauw maakte daar snel gebruik van. Met één boogsprong is ze uit haar gevangenis en via de behandeltafel op de vensterbank gesprongen.

Noch Meintes noch Diewertjes reactie is in deze snel genoeg. Meinte heeft na het spreekuur het raam geopend om de heerlijk zoete zomerlucht binnen te laten en daar gaat Blackie, bloedend en wel . . .

Onthutst staren ze elkaar een ogenblik aan.

„Nou breekt m'n klomp", bromt Meinte en Diewertje staat handenwringend tegen de vensterbank geleund.

Ze hebben het voor het nakijken.

„Diewertje, kom. We vangen dat beest wel even! Had ik nu maar net zo'n vlindernet als meneer Prikkebeen!"

Achter elkaar rennen ze door de openslaande zijdeur naar buiten. De poes is hun enkele pootlengtes voor . . .

„Een spoor van bloed!" jammert Diewertje, wijzend naar de stenen van de oprit waar enkele rode druppels als verfspatten het spoor van Blackie aangeven.

Blackie is nog aardig wat mans en neemt de wijk naar één van de oude kastanjebomen die voor het huis staan.

Meinte staart machteloos naar boven.

„Ze bloedt daar nog dood . . . Meinte, alsjeblieft, DOE WAT!"

Ze moest eens weten wat hij het liefst zou doen . . . haar in de armen nemen tot ze schaterde als vroeger, als een jaartje geleden! En die eigenwijze kat mocht voor zijn part naar het circus. Doe wat . . . hij is geen aap die maar zo de dikke boomstam kan bedwingen. Wacht, Hijma heeft wel een ladder, een uitschuifgeval van metaal. Maar Diewertje laat hij vanavond niet maar zo gaan. Ze zal betalen! Ach, wat een geluk dat die kat een aanleiding is voor haar om hier te komen. Wat kan een mens veel overdenken, al ladderhalend en dravende! Binnen de kortste keren staat het klimtuig tegen de stam.

„Hou je wel vast hoor!" komt Diewertje, diep beneden hem.

„Toch!" grijnst hij onder zijn arm door.

Zie die lamme kat nu toch, nog hóger klimt ze!

En als Meinte haar bijna te pakken heeft, blaast ze en kromt de rug. De groene ogen glinsteren tussen het blad van de kastanjeboom door.

Met allerhande lokgeluidjes tracht Meinte haar te kalmeren, maar iedere poging faalt.

Ademloos volgt Diewertje de halsbrekende toeren van Blackie en haar redder.

De ıakken kraken onder Meintes gewicht en Diewertje gilt van angst. Stel je voor dat Meinte . . .

Dan kiest poes eieren voor haar geld en met een ferme sprong komt ze onverwachts op de begane grond terecht. Meinte heeft het voor het nakijken.

Diewertje maakt handig gebruik van het éne moment dat het dier versuft blijft zitten en haastig tilt ze Blackie in haar armen.

Maar dat neemt poes haar niet in dank af en binnen twee minuten zitten Diewertjes handen vol gemene krabbels.

Meinte daalt voorzichtig van de ladder af. Je kán wat meemaken als veearts! Als hij Diewertjes hand ziet die flink bloed fronst hij toch zijn voorhoofd. Hij wil Blackie van haar overnemen, maar dat blijkt onverstandig en achter elkaar rennen ze naar binnen, de ladder en wat afgerukt blad als stille getuigen achterlatend.

Blackie krijgt een verdovingsspuit en dan volgt de behandeling. Meinte werkt vlug en goed. Hij is zich aan één stuk bewust van Diewertjes aanwezigheid.

„Zo, dat was dat, Wiebertje! In de mand met dat slapende poezenbeest. Morgen moet je wat van deze pillen in haar bakje voer mee naar binnen zien te krijgen. En de rekening volgt vanzelf . . . laat mij nu eerst die handen van joú maar eens bekijken!"

Diewertje frommelt haar vingers op de rug stijf in één. Nee, dat kan ze niet verdragen. Maar Meinte kan onverbiddelijk zijn! Hij dreigt met infecties en de gevolgen vandien.

Dan pakt hij zonder pardon haar arm en trekt haar dichter naar het licht van de late avondzon. Gelaten met gebogen hoofd laat Diewertje hem begaan.

Even is de man arts en Diewertje een patiënte, maar dan krijgt de man de overhand en als hij de mouw van het dunne zomervestje omlaag schuift, staat hij wel erg dicht bíj haar.

„Diewertje, Wiebertje, Mus... Zou één van die drie een klein beetje van een beginnend veeartsje kunnen houden, wat denk je, heeft die kerel een kans?"

Diewertje staart hem aan en haar mond valt open.

Nee, nee, dat kan toch niet wáár zijn...

Even is daar het allesomvattend oerverlangen om weg te kruipen tegen dat ruitjeshemd, tussen die gesteven witte jaspanden.

Maar de stem van Stien draagt ver! – Je moeder is er zelf de oorzaak van dat ik me niet kon permitteren jou mee te nemen... een vrouw die zichzelf en haar kind om heeft gebracht, dat wordt niet gauw vergeten! Je kunt van een medemens niet verlangen dat hij opgescheept komt te zitten met dat verleden... al heb je onze naam gekregen, dan was er nog niets aan het feit verandert.

Een andere naam.

Het kan nooit en nooit Diewertje Boele worden!

Wild rukt ze zich los van Meinte. Het duizelt haar voor de ogen. Weg, weg moet ze. Weg van die onverwachte haven! Zíj kan nooit de partner van wie dan ook worden. Het verleden zal altijd weer boven komen!

„Nee nee!"

Ze verschanst zich achter een tafeltje waar instrumenten liggen onder een hagelwitte doek.

Haar borst gaat hijgend op en neer en Meinte laat nu alle reserves varen.

Diewertje! Zijn... ja! Leeuwerikje! Immers een leeuwerik stijgt juichend hoger en hoger, alsmaar jubelend!

O, hij wil haar van alles zeggen! De ommekeer, de rijping

van zijn verlangens en behoeften. De rol die Diewertje daarin speelt. Het meisje dat voor zijn ogen tot vrouw gerijpt is.

Schor zegt hij: ,,Jawel . . . er is toch geen ander! Hendrik Baank misschien!"

Ze schudt wild met haar hoofd. En een gelukkig lachje borrelt uit Meintes keel.

Hij staat nu aan de andere kant van het tafeltje, kan haar zo aanraken maar haar afwerende gezicht doet hem aarzelen. Heeft hij zich dan toch vergist!

,,Het kán niet . . . nooit! Maar het gaat niet om jou . . . Ik zal nooit kunnen trouwen!"

Arme moeder . . . haar kan ze toch niet de schande aandoen en het verleden prijs geven! Nee, het moet een geheim blijven. Zij, Diewertje, zal de tol betalen voor die afschuwelijke daad.

Die gedachte geeft haar kracht. Met één sprong is ze bij de deur en als een hinde rent ze over het tegelpad naar de auto.

Meinte stuitert tegen het instrumententafeltje, dat met een luide klap omslaat als hij struikelend de weg naar de deur wil vinden, rinkelt de telefoon.

Baank . . . of Meinte nog komt.

,,Ja meteen!"

Kwak, de hoorn bonst hij weer op het toestel.

Somber kijkt hij de auto van Diewertje na. Hokkend en zich vergissend met de versnellingen.

De kat heeft ze vergeten!

Maar de jager in Meinte is ontwaakt. Dacht ze nu heus dat híj zich met een kluitje in het riet liet sturen?

Hij zal naar Baank gaan en dan haar verrassen in dat huisje van haar. Tegen de suffende Blackie, die veilig in een hoekje ligt zegt hij, met een vleugje van de oude Meinte: ,,Jou houd ik hier als gijzelaar!"

Diewertje weet later niet meer te vertellen hoe ze thuis is gekomen. Ze roept bij Margje om de hoek van de deur dat het in orde is met de poes en dat ze vroeg naar bed gaat!

Er is bezoek op ,,De Bruune Hoeve". De vertegenwoordiger blijkt een plakker. Het komt Diewertje goed uit!

Ze kruipt als een slak haar huisje in. Tranen branden achter haar ogen en ze slaat haar armen om zich heen, als een verkleumde schaatsenrijder. Ze wiegt zichzelf zoals ze dat met Erik-Jan placht te doen. Weg moet ze.

Waar heen? Niet naar Stien, die weg is afgesloten. Naar Barbara, ja, naar Lübeck zal ze gaan. Barbara is een vriendin, een christin die het zelf erg moeilijk heeft gehad, die zal ze volledig in vertrouwen nemen!

Een pen en papier is snel gevonden.

„Lieve Barbara,

Ik heb een dringend verzoek! Je hebt me onlangs nog gevraagd of ik terug wilde komen, welnu, er is hier van alles gebeurd. Ik moet weg, later zal ik je het fijne vertellen. Het houdt verband met ontdekkingen die ik heb gedaan over mijn ouders. Ik zal nooit iemands vrouw willen worden. Wel willen, maar niet kunnen! Help me alsjeblieft, Barbara, en laat me een tijdje bij je mogen komen. Ik zoek dan wel ergens werk bij jou in de buurt. Ver weg van hier."

Diewertje zuigt even op de achterkant van haar pen. Nee, om alles op papier te zetten wat ze denkt valt niet mee.

Onrustig schuift ze op haar stoel heen en weer.

Wat zal de toekomst haar brengen? Altijd zal daar als een schaduw haar liefde voor Meinte overheersend aanwezig zijn.

Ze duwt de brief van zich af en leest hem over, de lippen stijf opeen.

Ze houdt het niet uit in huis! Kon ze de brief maar posten, maar ze moet eerst postzegels hebben. Naar Margje wil ze nu niet en bij het postkantoor zou ze aan de automaat buiten wat kunnen draaien, maar wie weet of ze daar mensen ontmoet. Ze is niet in staat met iemand te spreken. Een niet beantwoorde liefde doet zeer. Maar een onmogelijke liefde overtreft alles, naar het haar toeschijnt. Besluiteloos kijkt ze door het kleine venster naar buiten. Het is al haast donker.

Maar een eind fietsen zal haar goed doen en misschien kan ze morgen Barbara wel beter opbellen!

Dat idee geeft een beetje rust.

Zonder méér dan het dunne vestje glipt Diewertje als een dief haar eigen huisje uit.

HOOFDSTUK 23

Doelloos fietsen tot je benen dienst weigeren. Over zandweggetjes en slecht verharde paden.

Diewertje komt niemand tegen, daar achter het kanaal. Kievieten scheren laag tot vlak over haar hoofd. Ze duiken luid schreeuwend telkens onverwacht omlaag.

Diewertje heeft geen oog voor de ondergaande zon, voor de witte nevelslierten boven de weilanden. Soms lopen er wat koeien met haar mee tot daar waar ze niet verder kunnen.

Diewertje is zich alleen maar bewust van de pijn in haar ongetrainde kuiten!

Als ze dan vlak voor de brug ook nog, wat ze had kunnen verwachten, een lekke band krijgt, is het gedaan met de energie!

Had ze maar niet die slechte paden gekozen. Eigen schuld. En ze is al zo moe!

Ze snakt naar wat te drinken. Naar bed, ja, sliep ze maar vast! Tussen de struiken door ziet ze in de verte de lichten van „Dalenk".

In normale omstandigheden zou ze even aanwippen . . . Maar nu wil ze wegkruipen, net als Blackie deed.

Lieve help . . . de kat is ze schoon vergeten!

Nu kan ze heus niet verder. Maar wacht, ze kan van het duister profiteren!

Als ze eens achterom „Dalenk" sluipt! Er de fiets in een schuurtje zet en bij de buitenkraan wat water drinkt! Zonder fiets gaat het sneller. De sluipweggetjes achterom kent ze nog op haar duimpje. Hier heeft ze indiaantje gespeeld, en rovertje. Verstoppertje. Dat doet ze nu weer, verstoppertje spelen!

Hier en daar brandt nog licht achter de hoge ramen, het is al over kinderbedtijd.

Ze komt gelukkig niemand tegen bij de schuur en ook de weg naar de kraan is vrij!

Heerlijk koel water. Ze slobbert als een dorstig kalfje.

Diewertje kan er haast niet toe komen hier weg te gaan. Maar wat rest haar! Ze is geen kind meer dat verstoppertje kan blijven spelen!

In het maanlicht glinstert het water van de vijver, waar ze van't winter zo zorgeloos heeft geschaatst. Even gunt Diewertje zich de tijd om in het water te staren.

Zou ze een paar minuten aan de oever gaan zitten met die zere voeten in het koele water?

Ze laat zich zakken tussen de rietstengels en een in zijn slaap gestoord eendenpaar vliegt fladderend weg.

Ze schuift de schoenen van haar brandende voeten. Héérlijk verzachtend is het koude water en Diewertje huivert in de avondkilte. Zacht klotst ze met haar voeten heen en weer. Zich realiserend dat het maar goed is dat het donker is. Geen gezicht zoals ze hier zit. Kijk, daar groeit de kattestaart, die ze had willen overplanten. Alles is nu zinloos.

De hete tranen druppen weer over haar gezicht. Straks dacht ze nog wel dat een mens onmogelijk meer kon schreien dan zij al fietsend gedaan heeft.

Meinte . . . een fata morgana in de woestijn kan niet erger zijn.

Ze buigt zich voorover om wat water te scheppen en het warme gezicht ermee te kunnen afkoelen.

Ergens in huis slaat een deur, stemmen klinken vrolijk op en schuw, bang voor ontdekking, krimpt Diewertje in elkaar.

Maar door die bewegingen verliest ze één fataal moment haar evenwicht en voor ze weet wat er gebeurt glijdt ze tot aan haar middel in het water. Ze hapt van ontzetting naar adem en heft beide armen als in een protest omhoog!

Staande in haar serre, die slechts door het schaarse maanlicht wordt beschenen, staat Janna gedachteloos naar buiten te staren. De dag was lang en vermoeiend. Allerlei strubbelingen waren haar deel. Even put ze rust uit dit ogenblik. Die tuin, zo stil zonder de kinderen, een ouderwetse gravure schijnt het haar toe. Dromerig.

Wat is dat nu toch bij de vijver . . . het lijkt wel of er iemand zit! Ze knijpt haar ogen tot spleetjes en ziet dan tot haar ontzetting een persoon wegglijden in het water.

Ze bedenkt zich geen tel en werpt de deuren open, snelt op kousenvoeten naar de vijver, onderwijl zich van haar vest ontdoend.

Ze hijgt meer dan ze het zegt: „Diewertje . . . nee, wat doe je? Kind toch! Niet doen!"

Diewertje, zich niet bewust van de indruk die Janna nu van haar krijgt, begint zenuwachtig te giechelen.

Janna trekt haar op de kant. Wat een vertoning! Een druipend Diewertje, slierten kroos in haar rok en waterplanten tussen de tenen.

En een totaal onthutste Janna die haar vasthoudt alsof ze bang is dat Diewertje opnieuw een duik neemt!

Diewertje spreekt voor haar compleet wartaal en ze begrijpt er niets van. De angst bonkt in haar: Diewertje die in het water wilde . . .

„Kind dan toch, Diewertje! Kom, ik zal je droge kleren geven!"

Ze leidt de drenkelinge langs „Dalenk" naar haar eigen woning. Gewillig strompelt Diewertje naast haar, het water sopt in haar schoenen.

Janna handelt snel en efficiënt. Voor Diewertje het goed en wel beseft zit ze in een heet bad.

Janna legt schoon goed klaar, voortdurend pratend met Diewertje. De angst is ze nog niet kwijt. Diewertje, zou ze heus het plan hebben gehad . . .

„Mag ik eruit mevrouw Boele!" vraagt ze met een klein stemmetje.

Het ondergoed en de duster die Janna haar heeft gegeven, zijn wat aan de grote kant.

Diewertje wikkelt een bonte handdoek om het natte haar en verlegen komt ze uit de badkamer te voorschijn.

Janna kijkt haar ongerust aan. Weten wil ze, àlles!

Diewertje krijgt een beker warme anijsmelk en Janna vraagt wanneer ze voor het laatst gegeten heeft.

Maar toch breekt het moment aan dat er gepraat moet worden!

Diewertje ziet in dat het niet veel zin heeft voor mevrouw Boele iets te verzwijgen.

Op berustende toon vertelt ze. Van Stien, over vroeger. De foto's en die andere dingetjes. Het omgekomen broertje . . . En de blaam die Stien niet op haar eigen naam wenste!

Janna heeft moeite om haar uit te laten spreken!

Heftig valt ze haar toch in de rede.

Stien, die egoïste! Zij Janna, weet precies hoe het toen toegegaan is! Als ze maar niet zo machteloos was geweest. Stil, Diewertje, nu is het jouw beurt om te luisteren.

Janna haalt een glas sherry voor hen beiden: het is geen overbodige luxe, zo'n hartversterking.

„Kind, ik was in de verpleging toen je moeder opgenomen werd in het ziekenhuis waar ik werkte. We begrepen elkaar goed, hadden beiden onze problemen. Ik stond alleen met Meinte, na een scheiding, dat was toen niet zo aan de orde van de dag als dat nu het geval is. En je moeder leed ontzaglijk door het verlies dat ze geleden had. Ze kon geen troost putten uit het bezit van het jongetje en de nieuwe baby . . . Dat moet je nu je volwassen bent kunnen begrijpen. En toen Stien, die haar hulp op een gegeven moment introk. Ze kregen ruzie, wat niet had mogen gebeuren. Je moeder was in méér dan één opzicht patiënte. Ze besloot het kind weg te halen bij Stien. Dat stukje van het verhaal wat jou ter ore is gekomen, klopt!"

Diewertje drinkt in elkaar gedoken van de sherry. Bang is ze om nog meer naars te horen te krijgen. Maar kán het nog erger?

Janna vertelt, af en toe hortend en stotend, verder. Over het jonge vrouwtje dat onder de medicijnen zat, met haar kind in het houten zomerhuis zich wilde verschansen voor de buitenwereld.

En toen dat ongeluk, die ontploffing. De brand, die binnen de kortste keren het huisje tot een ashoop veranderde. Als door een wonder wist men de jonge vrouw, die bewusteloos was, uit de vlammenzee te redden. Maar wat heet redden . . . Ze kwam in het ziekenhuis tot bewustzijn, Janna week geen ogenblik van het ziekbed.

Vlak voor ze heenging, was daar de verklaring. Die haar vrijsprak van dood door schuld! Maar voor Stien en haar familie was dat niet genoeg. Stien, de perfectioniste, wenste een naam zonder welke blaam dan ook.

„En ik?" – vraagt Diewertje zacht.

Janna legt haar arm om Diewertje schouders. „Jij . . . ik

beloofde jouw moeder voor je te zullen zorgen. Maar ik was gescheiden, ik kon geen kind adopteren, Diewertje. Ik moest je van de kinderbescherming naar een tehuis brengen. Maar al gauw wist ik werk te krijgen dat mij in staat stelde voor jou te kunnen zorgen. Ik werd hier directrice en wist het voor elkaar te krijgen dat jij hier ook kwam. Ik kon je echter niet de plaats schenken die ik zo graag gewild had. Ik mocht geen moeder voor je zijn, kind. En ik dacht bij mezelf: later vertel ik het allemaal wel eens. En dat stelde ik steeds uit, maar toen Stien zou komen, had ik haar willen zeggen jouw gevoelens te sparen. Niets te zeggen van de onwaarheden die gepubliceerd zijn geweest door de pers! Zij was me voor..."

Diewertje kan het haast allemaal niet verwerken. Er valt een last van haar schouders. Tranen van opluchting stromen over haar wangen. Haar moeder die die vreselijke dood van het broertje niet gewild heeft. Arme moeder... en Diewertje rouwt.

Janna gaat weg om wat te eten te halen. Nu wil ze weten waarom Diewertje het water inliep. Was het zo erg, dat van haar moeder?

Diewertje verslikt zich bijna in de oude kaas en met volle mond zegt ze verontwaardigd dat ze uitgleed! Dacht mevrouw Boele dat heus van haar!

„Waarom hebt u het me allemaal niet gezegd... ik bedoel toen u dacht dat Stien het verteld had?"

Janna knikt schuldbewust. Ze verkeerde in de mening dat Stien het onderwerp niet uitgebreid ter sprake had gebracht. Diewertje liet namelijk niets merken!

„Wat niet weet dat niet deert!" mompelt de drenkelinge, begrijpend nu. Toch heeft ze geleerd om Stien te vergeven, omdat ze zelf zo vaak vergeven moet worden.

„Ik had dat vest dat ze meebracht zo wel weg willen gooien, mevrouw Boele. Maar ik ben nu zover dat ik het zelfs wel kan dragen als het moet. Alles is toch ten goede gekeerd. Ik ben dankbaar dat ik door haar niet geadopteerd ben, hoor!"

Ze krijgt nu weer wat kleur op haar wangen en Janna zou haar het liefst zo in het logeerbed gestopt hebben. Daar tegen protesteert Diewertje met kracht. Ze moet naar huis...

En al het gebeurde, eerder op de emotionele avond, komt weer boven. Ze moet weg, ver weg. Naar Lübeck en daarvan kan ze Janna niets vertellen.

Dan laat Janna het gezag gelden, zoals Diewertje dat van de directrice kent!

„Uit is het. Ik zal Margje bellen en zeggen dat je nat bent geworden bij eh ... het zoeken naar waterplanten. Ja? En dan breng ik je morgen weer zelf weg. Je wilt me toch met een paar glazen alcohol niet achter het stuur zetten, wel?"

Diewertje berust. Ja, ze wil graag slapen.

Slaap betekent: éven weg zijn van die allesoverheersende gedachte: nu kan ze Meinte eerlijk onder ogen komen. Kon ze de klok maar een paar uurtjes terugdraaien!

„Wat een baan! Altijd spoedgevallen als je ze niet kunt gebruiken!"

Meinte racet van de ene hoeve naar de andere. En bij alles wat hij doet overheerst die éne gedachte: hij zál er vanavond nog achter komen waarom Diewertje van hem wegliep!

Hendrik Baanks paard Rietje is de laatste patiënte en hij is gerustgesteld dat alles op die hoeve nog bij het oude is: wat betekent dat er niet een Diewertje rondstapt met een lachje voor Hendrik. Hij haalt zich van alles in zijn stomme kop, zoals hij dat zelf belieft te noemen.

Als hij eindelijk na geklopt te hebben, bij Diewertjes huisje naar binnen stapt, vindt hij de vogel gevlogen.

Op tafel ligt een slordig geschreven brief en hij neemt de vrijheid kennis te nemen van de inhoud, dodelijk ongerust als hij is!

Weg wil ze, vluchten naar Duitsland. Waarom ... om hem? Dat kan hij niet geloven! Waar is ze nu! Het is al over tienen. Zou hij het gaan vragen op de hoeve! Misschien zit ze daar rustig in de kamer.

Ontdekkingen over haar ouders. Wat er dan toch wel aan de hand mag zijn geweest! Gekweld door de eigen gedachten frommelt hij de brief tot een prop.

„Meinte!" Dat is Margje, die licht zag branden en net een telefoontje van Janna heeft gehad. Wat doet Meinte hier en waar is zijn wagen?

„Op het erf bij dinges, eh, Baank. Maar waar is Diewertje! Zeg het Margje!" Hij grijpt Margjes bovenarmen stijf beet en bedenkt net op tijd in welke toestand Margje is.

„Sorry . . . maar ik ben zo dodelijk ongerust!"

Margje begrijpt intuïtief de emoties die Meinte tracht te verbijten.

„Ze is in de beste handen . . . ze is in de vijver geduikeld op 'Dalenk' en je moeder is haar nu aan het vertroetelen . . . ik geloof dat jij popelt om haar daarmee een handje te helpen!"

Ze geeft hem een duwtje. Hier, er is werk voor hem. Hij kan schitterend even naar „Dalenk" en wat droge kleren brengen!

Margje haalt wat van het keurige stapeltje ondergoed uit de kast. Een lange broek, een bloesje. Ze mikt het met wat toiletspullen in een mandje.

Meinte staart naar die kleine persoonlijke zaken met een blik die Margje alles vertelt wat ze weten wil.

Dus toch uitzien naar een nieuwe hulp . . .

Ze moet het even verwerken.

„Doe haar de groeten, Meinte. Geef haar maar een zoen van mij en wens haar veel geluk!"

Een auto die met onverantwoorde snelheid door het dorp scheurt. De stille buitenweg op.

Grind dat op het pad van „Dalenk" opspat.

Janna schuift het gordijn opzij. Meinte . . . ze ziet het aan het silhouet van de wagen. Hij draaft op haar woning aan en tuimelt bijna naar binnen als de deur open gaat zonder dat hij heeft gebeld. „Wat doe jij hier!" Eén en al verbazing is ze.

„Is ze hier . . .!"

Nu wordt ook Janna veel duidelijk. „Moeder . . . heeft ze zich willen . . . Hoe kwam ze in dat water terecht en wat was er met haar ouders?"

Janna neemt hem mee naar de keuken en vertelt in eenvoudige bewoordingen wat ze eerder op de avond aan Diewertje heeft verklaard. Maar dit nieuwe doet haar met vreugde haast overmannen. Meinte die van het meidje Diewertje is gaan houden!

Wat ziet hij eruit, die jongen van haar. Nee, hij moet Diewertje nu met rust laten.

„Ze slaapt... al die emoties! Trouwens: ik zal voor jou wat klaar maken. Je ziet er zo verwilderd uit! Ik moet nog even naar het huis. Ik heb straks de boel maar zo in de steek gelaten, en toe, als ze slaapt, maak haar dan niet wakker!"

Meinte heeft te kennen gegeven toch even om de hoek van de deur te willen kijken.

Het maanlicht werpt een streep schijnsel op het nog bleke gezichtje.

Meinte houdt de adem in. Zo zal hij haar misschien dagelijks mogen meemaken... Zou hij haar wekken? Hij buigt zich over haar heen en kust met een voor hem onbekende tederheid het zachte, nog vochtige haar. Maar dan beheerst hij zich. Geduld is niet zijn sterkste zijde! Maar hij vindt de omgeving niet geschikt voor zijn tweede poging Diewertje te vragen zijn vrouw te willen worden!

De tuinman heeft Diewertjes band geplakt en uitgerust vertrekt ze tegen achten naar „De Bruune Hoeve". Haar hart is zo licht, alsof er vlinders in ronddansen! Wat een verschil met gisteravond... Ze durft bijna niet dóór te denken! En wat zullen ze op de hoeve wel denken van haar! Ze weet niet eens hoe het met Blackie is. Meinte... hoe kan ze hem duidelijk maken dat er zoveel veranderd is! Zijn moeder, die schat, vertelde dat hij gisteravond kleren heeft gebracht. Zou ze het één en ander begrijpen?

Dan krijgt ze een inval, maar die vereist moed. Zou ze... Ja! Diewertje draait haar fiets en verandert van richting.

Even later zit ze in de wachtkamer van de dierenarts. Telkens als er iemand binnenkomt, laat ze hem voor gaan.

Wat duurt het lang... wat zal Meinte zeggen. Zij zal binnenkomen en zeggen: „Goeienmorgen, ik kom Blackie halen!" En dan – en dan...

Eindelijk is ze aan de beurt; mevrouw Hijma kijkt om het hoekje van de deur. Wat leuk, Diewertje. Komt ze de poes halen, mooi, dan kan zij gáán, het spreekuur duurde zo lang vandaag! Ja, ze vindt het leuk werk om de beide dierenartsen te assisteren. Afwisselend, maar druk. „Dag Diewertje, je vindt het wel?"

Diewertje haalt diep adem. Ze opent de deur zonder geklopt te hebben:

„Goeiemorge . . . ik kom eh . . ."

Meinte veert op als een duveltje uit een doosje. Ontroert steekt hij zijn handen uit. Een gebaar, dat woorden overbodig maakt. Diewertje die toch naar hém is gekomen, uit zichzelf! Hij slikt moeilijk, vecht even tegen zijn emoties en dan juicht hij met een stem zoals Diewertje die zich van máánden terug herinnert: „Wiebertje, mijn eigen leeuwerikje! Ben je dan toch gekómen? Ach jij . . ."

Dan is ze in de stijfgesteven witte armen. Verlegen schurkt ze haar hoofd tegen zijn borst maar dan tilt Meinte haar gezicht op, en zijn mond vindt vanzelf haar bevende lippen.

Later zal hij uitleggen dat het nu anders is, beter en echter dan toen met Nora.

Er mag geen enkele schim tussen hen zijn! Geen Nora en geen gestorven ouders. En al zou er in het verleden wat dan ook gebeurd zijn, het zou voor hem geen verschil gemaakt hebben. Dat zal hij haar ook duidelijk maken.

Diewertje, zijn Musje.

„Nee, nee, je bent een leeuwerik, ik had het fout! Want sparrows can 't sing . . ., zeg dat je van me houdt!"

„Ik . . . oh!" Diewertje duwt zich stijf weg tegen hem. Ze is warempel verlegen.

Meinte, die niets anders zou willen dan het jonge lichaam in zijn armen koesteren, vindt als eerste de gewone toon weer.

„Kus me dan, Wiebertje en zeg dat je het met mij aandurft, samen de toekomst onder ogen zien!"

En Diewertje, zo vol van woorden, kan alleen die paar woordjes maar stamelen: „Ik? Oh, ik hou al zo lang van jou . . . mijn hele leven al!" En dan voldoet ze aan zijn wens. Ze gaat op haar tenen staan en innig slaat ze haar armen om zijn hals.

De mannenwang is prikkerig en ruikt naar scheerzeep. Ze duwt haar mond tegen zijn oor en fluistert: „Er valt niets te durven . . . Want mijn toekomst ben jij!"